Prix du Meilleur Roman
des ~~lecteurs de POINTS~~

Ce roman fa~~it partie de la sélection~~ du
**Prix du Meilleur Roman
des lecteurs de POINTS !**

D'août 2016 à juin 2017, un jury composé de 40 lecteurs et de 20 libraires, sous la présidence de l'écrivain Alain Mabanckou, recevra à domicile 12 romans récemment publiés par les éditions Points et votera pour élire le meilleur d'entre eux.

Ciel d'acier, premier roman de Michel Moutot, a remporté le prix en 2016.

Pour tout savoir sur les livres sélectionnés, donner votre avis sur ce livre et partager vos coups de cœur avec d'autres passionnés, rendez-vous sur :

www.prixdumeilleurroman.com

SÉLECTION 2017
PRIX
DU MEILLEUR
ROMAN
des lecteurs de
POINTS

David Carkeet est né en Californie du Nord. Il a vécu trente ans à Saint-Louis avant de s'établir dans le Vermont. *Le linguiste était presque parfait* est devenu culte aux États-Unis depuis sa sortie en 1980.

David Carkeet

LE LINGUISTE ÉTAIT PRESQUE PARFAIT

ROMAN

*Traduit de l'anglais (États-Unis)
par Nicolas Richard*

Monsieur Toussaint Louverture

TEXTE INTÉGRAL

TITRE ORIGINAL
Double Negative
© David Carkeet, 1980

ISBN 978-2-7578-6269-8
(ISBN 979-10-90724-04-4), 1ʳᵉ publication

© Monsieur Toussaint Louverture, 2013, pour la traduction française

INSTITUT WABASH

— 6ᵉ ÉTAGE —

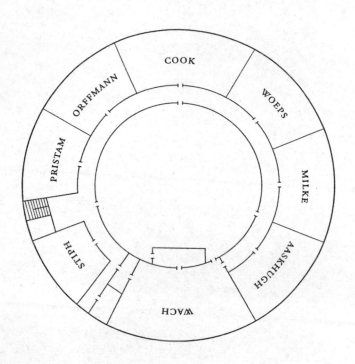

Chapitre un

« Mais vous faites quoi au juste avec ces bébés ? »

En entendant cette question par la porte entrouverte du bureau de Wach, Cook s'immobilisa, encore invisible aux yeux des deux hommes en train d'y discuter. À la perspective de la réponse, il sourit. C'était exactement le genre de situation qui permettait à son misérable patron de briller par son incompétence.

« Loin de moi l'idée de ne pas vous répondre… »

Cook imagina le sourire de son patron : bref et idiot.

« Un certain nombre de variables complexes entrent en ligne de compte dans toute tentative de définir un protocole expérimental… un objectif, un, une… ah, Jeremy, vous voilà ! »

Cook s'était avancé. Il lui était trop pénible de ne pas intervenir.

« Je voudrais vous présenter ce monsieur, journaliste à New York, qui écrit pour… pour qui d'ailleurs ?

– Pour personne en particulier. Je suis pigiste pour différents journaux. *Philpot.* »

Ce dernier mot avait été lancé à l'attention de Cook. Mais s'agissait-il de son nom ou de son prénom ? Cook n'en avait aucune idée ; comme pour les patronymes chinois, il était impossible de deviner duquel des deux il s'agissait.

« Jeremy Cook, dit-il en serrant la main de Philpot, un homme de petite taille.

– Appelez-moi Henry. »

Cook se réjouit que cette petite énigme fût élucidée.

« Jeremy, ici présent, sait tout ce qu'il y a à savoir sur notre établissement. Et même un peu plus, n'est-ce pas, Jeremy ? renchérit Walter Wach en gloussant froidement. Jeremy, si vous aviez la gentillesse d'emmener monsieur Philpot à la crèche, à la salle de sport et dans les autres services, et de faire les présentations… qu'il rencontre Woeps, Stiph, Milke, tout le monde. » Puis en s'adressant uniquement à Philpot : « Passez donc un agréable moment. Ensuite, nous déjeunerons tous les deux. »

Il baissa la tête et, tout en contemplant son bureau, s'éclaircit la gorge.

Cook l'observait. C'était seulement une fois libéré de tout contact humain, tranquillement isolé dans son bureau, que Wach semblait le plus à l'aise. Pourquoi donc se forçait-il à être si avenant ? L'institut se porterait tout aussi bien, si ce n'est mieux, sans ses simagrées. Et pourquoi insister sur ces consignes ? N'avait-il pas déjà consacré l'après-midi de la veille à briefer Cook, exposant avec moult détails inutiles le circuit qui ferait la meilleure impression à Philpot ? Les instructions de Wach, bien que superflues, n'étaient cependant pas aberrantes à la lumière de la RÈGLE DE WACH Nº6 : toujours paraître spontané, sauf lorsque l'apparence de réflexion s'impose.

Cook acquiesça.

« Entendu, Walter. Nous serons de retour à midi. »

Il avisa Philpot-le-pigiste :

« Voudriez-vous un café ? En tout cas, moi, oui, et Walter n'en boit pas.

– Jamais une goutte ! s'exclama Wach.

– Avec plaisir, dit Philpot.

– Je viens d'en faire une cafetière dans mon bureau. On pourra y discuter un moment, puis je vous ferai visiter. »

Wach lança quelque chose de faussement jovial tandis que Cook faisait traverser à Philpot le petit bureau occupé par la secrétaire de son patron. Celle-ci se livrait à son activité préférée : elle se limait les ongles, le combiné parfaitement calé entre l'épaule et la permanente. Elle était à Wabash depuis peu de temps. Au bout de deux mois, Cook s'était fait une opinion à son sujet : elle était stupide et lunatique.

« Oh, bien sûr que je le déteste, mais c'est pour une autre raison », lâcha-t-elle dans le téléphone lorsque Cook et Philpot passèrent devant elle.

Cook déglutit avec difficulté. Cette remarque le dérangea presque autant que celle qu'il avait entendue par hasard dans l'ascenseur, le matin même. Deux jeunes mamans qui venaient déposer leurs enfants pour la journée bavardaient au rez-de-chaussée. Quand Cook s'approcha, elles se turent et gardèrent le silence jusqu'à ce qu'ils se retrouvent tous trois dans l'ascenseur. Et en arrivant au sixième étage, l'une d'elle chuchota : « C'est ce qui arrive aux gens quand ils vivent seuls trop longtemps. » Toute la matinée, tandis qu'il s'efforçait de travailler, des images de comportements solitaires déviants dansèrent devant ses yeux.

« Je n'arrive pas à cerner ce type, dit Philpot en faisant un geste sec du pouce par-dessus son épaule.

Cook cligna des yeux.

– Ouais. Il fait cet effet à tout le monde. Mais ce n'est pas quelqu'un d'important ici. C'est juste le directeur. »

« C'est en partie vrai », dit Cook à Philpot. Et, tout en continuant à siroter son café, il étendit les jambes et posa les pieds sur son bureau. « Nous nous intéressons à l'acquisition du langage, des premiers babillements jusqu'à une maîtrise plus aboutie de la langue. Nous associons à une activité de crèche l'observation attentive, l'enregistrement audio et vidéo, et quelques expériences simples. Les gamins, je crois qu'ils sont soixante-quinze à l'heure actuelle, sont âgés de six mois à cinq ans. Ils bénéficient des mêmes attentions que dans une crèche ordinaire. La seule différence ici, c'est qu'il y a sept linguistes qui rôdent dans les couloirs, les salles de jeu, à côté des tables à langer et sous les berceaux, qui écoutent les suffixes verbaux, la glottalisation et tout un tas de trucs du même ordre. C'est un endroit singulier, unique en son genre dans le pays. Mais au bout d'un certain temps, il vous paraîtra *relativement* normal.

– Pourquoi ici ? Pourquoi dans le sud de l'Indiana ?

– C'est effectivement un peu loin de tout. L'institut Wabash était à l'origine un centre d'études des primates. Les anciens bâtiments sont derrière moi, par là-bas, de l'autre côté du ruisseau… On l'appelle la Petite Wabash, et elle se jette dans la Grande, plus connue. »

D'un geste, il indiqua la fenêtre derrière lui, qui donnait sur une route, six étages plus bas et, au-delà, sur un champ et quelques bâtiments en bois.

« L'une des missions de ce centre consistait à étudier l'apprentissage d'un mode de communication chez les chimpanzés, en se servant de la L.S.A., la Langue des Signes Américaine, utilisée par les sourds. Puis cela a évolué jusqu'à devenir leur activité principale. Au même moment, de ce côté-ci de la rivière, une crèche assez importante s'est installée dans les locaux d'une ancienne maison de correction, afin de répondre aux besoins de diverses populations, celle d'Otis Elevator à une quinzaine de kilomètres au nord, de l'université Baptiste Busby, à dix kilomètres à l'est, et de la ville de Kinsey, juste au sud. À l'époque, nous n'avions pas autant d'enfants, mais l'effectif fut suffisant pour suggérer aux amis des primates (parmi lesquels Wach, alors numéro deux dans la hiérarchie) que l'activité de garderie allait peut-être pouvoir s'avérer utile tout en restant au second plan – laissant ainsi la priorité à l'étude du langage. Ce qui permettrait par la suite à cet endroit de devenir un grand laboratoire de recherches sur le développement de la communication chez les différentes espèces.

« Les subventions affluèrent. Nous étions dans les années soixante, et, à l'époque, le département de la Défense, pour des raisons à mon sens mystérieuses, s'intéressait au plus haut point à la linguistique. La maison de correction fut réorganisée, et l'institut Wabash commença à prendre sa forme actuelle. Depuis lors, le centre des primates a pratiquement fermé ses portes. Il y a encore deux ou trois chercheurs là-bas, mais ils n'ont plus que quelques chimpanzés et se cantonnent à l'étude des rougeurs de popotin. Nous avons entièrement repris le flambeau en ce qui concerne le langage. » Il se tut. « On peut voir dans ce déplacement des locaux d'un côté à l'autre de la rivière une métaphore de l'évolution. D'ailleurs, les gens d'ici nomment la passerelle en bois qui sert à traverser la Petite Wabash, le pont de Darwin. »

Philpot rit.

– Voilà quelque chose dont je pourrai me servir.

– Vous ne notez rien ?

– Non. Ce n'est pas nécessaire. Ça me reviendra ce soir dans ma chambre. Et *vous*, que faites-vous précisément ? »

Cook se tortilla légèrement dans son siège. Lorsque la question lui était posée par des voisins ou des habitants de Kinsey, il trouvait les réponses qu'il s'entendait donner piteuses et contrites. Que pouvait-il dire ? Qu'il était une sorte de « génie en résidence », pour reprendre le sobriquet dont l'avait affublé une fois son ami Ed ? Cook menait ses propres recherches, mais il aimait également venir en aide aux autres. Il arrivait à percevoir les points forts des projets inventifs et savait les améliorer, de même qu'il était capable de repérer assez tôt les travaux peu prometteurs et de les décourager en amont. Il avait été explicitement remercié dans toutes les publications issues de l'institut depuis qu'il avait rejoint l'équipe, cinq ans plus tôt. Mais il était difficile de réduire son travail à un simple intitulé. Il y avait des périodes de relâche où il demeurait presque inactif et passait son temps à lire, et des périodes frénétiques de labeur passionné. Peut-être était-ce à cet égard comparable au travail d'un pigiste.

« Mon boulot est comparable à celui d'un pigiste », dit-il à Philpot, et tandis qu'il s'employait à le décrire, il se rendit compte qu'il venait de mettre en pratique – bien que la situation ne l'exigeât pas – la RÈGLE DE WACH N°14 : avant de mentir à quelqu'un ou de le manipuler, soulignez à quel point vous lui ressemblez. Il fréquentait Wach depuis trop longtemps. « Ça varie beaucoup, d'un jour à l'autre. Je suis incapable de me spécialiser, et je le dis sans fanfaronnade, car je considère cela comme un inconvénient.

– Sur quoi travaillez-vous en ce moment ?

– Un sujet qui n'a pas véritablement la bénédiction de mon patron… mais je m'efforce de le tenir dans l'ignorance. J'étudie ce que j'appelle les *idiophénomènes*. Ce sont les dispositifs linguistiques que les enfants développent d'eux-mêmes, sans s'inspirer du monde adulte. Il peut s'agir de simples énoncés aux significations invariables, comme le *beu* d'un tout-petit pour dire "Je veux ce petit canard", jusqu'à des modulations bien plus personnelles, qui n'appartiennent qu'à l'enfant qui les énonce. »

Philpot plissa les yeux et se mit à tripoter un stylo enfilé dans la poche de sa chemise, comme pour le retirer. Mais il se contenta de se gratter le menton.

« Les parents passent à côté de la plupart de ces phénomènes. Ils ont tendance à considérer l'acquisition du langage comme un processus linéaire, une progression graduelle jalonnée de maladresses très drôles. Mais ce qui se joue là est bien plus complexe. Il faut être capable de prendre ses distances avec le radotage des enfants pour en identifier les schémas récurrents. C'est la préoccupation principale de l'institut Wabash. Notre travail, c'est ce que nombre de linguistes font avec leurs propres enfants – les observer, les enregistrer et analyser les données – à cela près que nous le faisons mieux. D'après ce que j'ai entendu dire, il est difficile d'être à la fois parent et naturaliste. Vous pourrez interroger Ed Woeps à ce sujet. » Cook donna un coup de menton sur la gauche. « Un collègue, qui a un fils de seize mois ici, à Wabash. Et que j'observe bien plus que lui ne peut le faire… du moins linguistiquement parlant. C'est son fils, d'ailleurs, qui a employé le *beu* de la manière que je vous ai indiquée.

– Et vous, vous avez des enfants ?

– Non, répondit Cook. Je ne suis pas marié.

– Pouvez-vous me parler des autres linguistes qui travaillent ici ?

– Allons plutôt les voir, dit Cook. Les mots ne leur rendraient pas justice. »

Tandis que les deux hommes se levaient, un rire étrange et bruyant leur parvint depuis le bureau voisin. Comme aucun autre bruit n'avait précédé ce rire, ce fut comme s'ils avaient été épiés par un observateur silencieux trouvant hilarant le spectacle d'un homo sapiens se levant de son siège. Mais Cook savait de quoi il retournait. Ce n'était qu'Orffmann. Orffmann aimait rire, surtout lorsqu'il était seul. Souvent, lorsque Cook travaillait à porte close et l'esprit absorbé, les éclats de rire d'Orffmann retentissaient autour de lui. Combien de nobles séances de travail susceptibles de faire avancer la science avaient-elles ainsi avorté ? Les yeux fixés sur le mur, Philpot fronça les sourcils, l'air gêné. Mais Orffmann était l'un de ceux que Wach avait écartés de la liste des collègues à présenter au journaliste, et Cook songea que moins il en serait dit à son sujet, mieux ce serait.

Idem pour Adam Aaskhugh, lequel se tenait justement devant le bureau de Cook au moment où lui et Philpot sortaient dans le couloir ; aussi fut-il plus difficile à esquiver.

« Tu ne me présentes pas, Jay ? », demanda Aaskhugh en avisant Cook puis Philpot. Cook se prêta au jeu des présentations, mais fut pris d'une irrationnelle envie de mentir. Aaskhugh était le seul à avoir cet effet-là sur Cook, qui n'était pourtant pas un menteur invétéré ou même, à défaut, un menteur convaincant. La conception que se faisait Aaskhugh de l'information agaçait Cook au plus haut point. Pour Aaskhugh, c'était un commerce. Il la collectait sans prendre de recul et la divulguait sans la moindre hésitation ni le moindre discernement. L'étendue de ses connaissances était immense, et pour l'accroître, il posait sans cesse des questions, rappelant systématiquement à Cook ce fait regrettable, mais néanmoins inévitable, que les gens sont toujours prêts à s'intéresser à vous dès qu'il s'agit d'être mauvaise langue.

Pour se soustraire en douceur à l'enquête que semblait mener Adam Aaskhugh, Cook avait, au fil des ans, mis au point deux stratégies.

La première se révélait la plus efficace lorsqu'il se sentait mentalement ramolli, disons, après avoir bu, ou avant son café du matin : il posait d'emblée une question à Aaskhugh. Bien sûr, en retour de bâton, cela lui valait de recevoir une monumentale quantité d'informations inutiles, ce qui avait malheureusement tendance à lui ramollir davantage le cerveau.

La seconde tactique, dérivée de la première, relevait en vérité du défi : par la question posée, Cook énonçait un problème philosophique, sans rapport direct avec sa vie, ni celle de qui que ce soit d'ailleurs – s'y tenant avec une ferveur maniaque, il prenait soin de ne jamais rien laisser filtrer de sa propre personnalité. Ce stratagème garantissait que, à moins de recourir à l'hypnose, Aaskhugh n'apprendrait rien de plus sur Cook que ce qu'il pourrait soutirer aux autres. Aaskhugh ne pourrait également jamais accuser publiquement Cook d'être ennuyeux – ennuyeux, du moins, dans le sens de réservé.

« Combien de temps allez-vous rester ici ? », demanda Aaskhugh à Philpot.

Plusieurs jours, répondit Philpot, peut-être une semaine. Où logeait-il ? Philpot donna le nom d'un motel à la périphérie de Kinsey. Pour qui était l'article ?

Philpot le lui expliqua. Qu'avait-il écrit qu'Aaskhugh aurait pu avoir lu ? Philpot cita plusieurs articles, tout en implorant Cook du regard.

Cook sortit de sa torpeur et mit à exécution sa tactique numéro un.

« Adam, peut-être pourrais-tu nous expliquer ce que tu fais ici ? Cela intéressera certainement monsieur Philpot. »

Par « ici », Cook entendait la vitre d'observation donnant sur la salle de jeu juste de l'autre côté du couloir, située face à la porte de son bureau. Mais Aaskhugh dévisagea Cook comme si celui-ci avait dit quelque chose de parfaitement inepte.

« Je ne fais rien de particulier ici, Jay.

Cook fronça les sourcils.

– Mais tu étais juste devant ma porte. Non ?

– Non, non, non, Jay. Je *passais* devant ta porte. Je *passais*. » Son ton sous-entendait assez clairement que Cook ne comprendrait jamais rien tant qu'il ne maîtriserait pas l'usage du vocabulaire le plus rudimentaire. « Vois-tu ? » En guise de démonstration, Aaskhugh s'éloigna à pas lents, les observant par-dessus son épaule tout en se fendant d'un sourire niais.

Lorsque la courbe que prenait le couloir finit par le soustraire à leur regard, Cook se tourna vers Philpot qui, stupéfait, fixait encore l'endroit où quelques secondes plus tôt se tenait Aaskhugh.

« Pourquoi vous appelle-t-il "Jay" ? Vous ne vous appelez pas "Jeremy" ? »

Cook sourit. C'était la deuxième chose qui clochait avec Aaskhugh. Ou peut-être la troisième. Difficile d'en faire le compte. Répudiant une tradition qu'il jugeait éculée, Aaskhugh ignorait les noms fièrement attribués par les parents, leur préférant ses propres inventions.

Pour lui, Cook était « Jay ». De temps à autre, et pour des motifs qui échappaient autant à Cook qu'à Woeps, ce dernier avait été renommé « Daisy ». Mary, la secrétaire du directeur – soit, tout simplement Mary-la-secrétaire pour Cook –, était « Mary-Mary » ; et le nom de Wach, prononcé « *ouatch* » par l'intéressé et par tout le monde à Wabash, devenait, dans la bouche d'Aaskhugh, le germanique « *Wachtmeister* ». Cook attendait avec impatience le jour où il rendrait à Aaskhugh la monnaie de sa pièce et le rebaptiserait, en réponse au « Jay » de *Je*remy, peut-être « *Ah !* » pour *Ad*am, voire « espèce d'*Ah*-bruti ».

Cook expliqua tout cela à Philpot du mieux qu'il put. Puis, en guise d'antidote à la néfaste présence d'Aaskhugh, il proposa : « Je vais vous présenter Ed. » Et il conduisit Philpot jusqu'au bureau d'à côté, celui de Woeps. Ce dernier était, de tout le personnel, et de loin, le plus sensé. Bien que de quinze ans son aîné, il était le seul ami masculin de Cook. Le fait que leurs bureaux soient contigus facilitait les choses, car Cook estimait que deux personnes ne pouvaient pas devenir de bons amis s'ils n'étaient pas quotidiennement en contact. Bien sûr, le tonitruant Orffmann prouvait que si la contiguïté était bien une condition nécessaire, elle n'était pas suffisante.

Woeps était au téléphone. Cook l'entendit demander : « C'est grave ? » Il soupçonna alors son ami d'écouter sa femme au bout du fil, en train d'évoquer une nouvelle calamité domestique. Son seul défaut – et on pouvait difficilement lui en vouloir – était qu'il attirait la poisse comme personne.

Cook articula en silence : « Je repasserai plus tard. »

Woeps hocha distraitement la tête, et Cook referma la porte.

« Il est occupé pour l'instant, expliqua-t-il à Philpot, qui fixait à nouveau le couloir d'un air interrogatif.

– J'ai du mal à comprendre l'architecture de ce bâtiment, dit le pigiste. Et où se trouvent les toilettes ?

– Je vais vous y conduire. » Il tendit le bras dans la direction où Aaskhugh était parti, et ils se mirent en marche. « Ce bâtiment est circulaire, au cas où vous n'auriez pas remarqué.

– Je commence à m'en rendre compte, oui…

– C'est un cylindre sur sept niveaux. Ce niveau a été conçu pour accueillir les plus fortes têtes de la maison de correction. Les cellules, à l'extérieur du cercle, ont été agrandies et réaménagées en bureaux pour nous ; les barreaux aux fenêtres ont été retirés. Il n'y a que ceux des toilettes, ne me demandez pas pourquoi, qui ont été laissés. Ensuite, sur notre gauche, il y a un espace central, qui comprend des salles de jeu, un petit réfectoire, une salle de sport et ainsi de suite. Puis, entre cet espace et les bureaux, il y a ce couloir, qui était initialement la passerelle devant les cellules. Il fait bien entendu tout le tour, enfin presque… Le bureau du directeur interrompt le cercle. Il l'a fait construire de telle façon qu'il va de sa fenêtre jusqu'à l'espace central, si bien que le couloir se termine en butant de part et d'autre, sur ses murs. Nous venons juste de passer devant le bureau d'Orffmann, là, sur la droite. Vous ferez sûrement sa connaissance plus tard, bien entendu. Voici le bureau de mademoiselle Pristam. Elle est actuellement en déplacement. Et là, l'escalier et l'ascenseur. » D'un geste, il indiqua la droite. « Il y a une autre aile ici, attenante à notre bâtiment, mais elle est actuellement inoccupée. Pareil pour les étages inférieurs du bâtiment, sauf une partie du rez-de-chaussée immédiatement à l'aplomb, où est installé le bureau de

Sally Good. Elle est responsable de tout ce qui concerne la crèche. Je vous y emmènerai plus tard. Et voici l'antre d'Arthur Sti…

– De qui ?

– Désolé. J'ai l'habitude de baisser la voix quand j'approche de chez Stiph. Vous allez peut-être comprendre pourquoi. »

Cook glissa un œil par la porte entrebâillée et vit ce à quoi il s'attendait. Installé à son bureau, au centre d'une pièce encombrée au-delà du raisonnable, était assis Arthur Stiph.

Stiph était endormi. C'était souvent le cas, que ce soit ici ou à l'extérieur, sur le gazon ombragé qui descend en pente douce jusqu'à la Petite Wabash, ou encore dans un coin de la salle de jeu, ne prêtant guère attention aux reptations, vocalises et autres pipis de ses sujets d'étude. À cet instant, comme à son habitude, il donnait l'impression d'être en paix non seulement avec le monde, mais avec toutes les forces mystiques de l'univers.

Soudain, Stiph émit un grognement, humecta ses lèvres et fit grincer son vieux siège pivotant, avant de laisser le silence s'installer à nouveau. Par réflexe, les deux hommes à sa porte s'étaient écartés, chacun d'un côté, se mettant hors de vue, comme les soldats d'un commando sur le point de jeter leurs grenades.

« C'est Arthur Stiph, chuchota Cook. Nous pourrons lui parler une autre fois. Les w.-c. sont juste devant vous, au bout du couloir. Les hommes, c'est à gauche.

Il éloigna Philpot doucement du bureau de Stiph.

– Il est onze heures du matin, souffla Philpot. Qu'est-ce qu'il fabrique ? »

Cook haussa les épaules. « Il est vieux. Il travaille un peu… mais il dort aussi. À peu près autant qu'un chat. Il n'est pas à l'institut depuis longtemps. »

Philpot marmonna quelque chose et se dirigea vers les toilettes. Au moment où il tendit la main vers la poignée, Aaskhugh ouvrit la porte. Il sourit à Philpot comme s'il y avait entre eux un lien plus intime qu'entre la plupart des mortels, puis adressa le même sourire à Cook. Sans s'en départir, il regarda Stiph dans son bureau et susurra, assez fort pour que Cook l'entende, mais pas nécessairement dans ce but : « Pauvre feignasse. » Cook eut un mouvement de recul. Puis, il s'approcha à nouveau du bureau et observa Stiph. Il était toujours tranquillement assis, sa tête grisonnante exagérément penchée d'un côté. On aurait presque dit un nouveau-né à la tête lourde, endormi dans son siège auto. Un petit rayon de soleil filtrait à travers le store en métal de sa fenêtre et illuminait ses épaules, où quelques brindilles – des fragments de feuilles mortes – étaient accrochées à son pull gris. Cook n'avait rien à lui reprocher – et ce n'était pas rien, car ce sort envieux n'était pas partagé par beaucoup de monde. Il regretta soudain de ne pas le connaître mieux. Leurs contacts avaient été trop brefs, trop professionnels. Stiph était si avenant, il semblait si accessible – un ami potentiel, malgré la différence d'âge. Ils auraient, sans aucun doute, beaucoup de choses à apprendre l'un de l'autre.

Cook entendit soudain un cri long et aigu en provenance de l'espace central. Il ouvrit la porte qui y donnait accès et se précipita à l'intérieur. Une jeune auxiliaire sortit de la nursery, un bébé serré contre sa poitrine. Sally, la directrice, était avec elle, essayant d'approcher du bébé.

« Mon Dieu ! fit la plus jeune des deux femmes.

À sa voix, Cook sut que c'était elle qui avait crié.

– Mais il va bien, dit Sally.

– Mon Dieu, répéta-t-elle.

– Regarde. Il va bien.

Sally écarta le bébé de la poitrine de la jeune femme. Celui-ci se tortilla et se mit à pleurer. La jeune femme le fixa, ahurie.

– Je croyais que…

– Est-ce que tout va bien ? demanda Cook.

– Que se passe-t-il, ici ? s'enquit Wach, en arrivant depuis l'autre côté. J'exige une explication. »

Sally se mit à bercer le bébé dans ses bras et regarda Wach. « Une minute, Walter, dit-elle. Je vais le recoucher. » Elle ouvrit la porte de la nursery. À l'intérieur, un ou deux autres bébés qui avaient été réveillés par le bruit s'étaient mis à pleurer. Elle entra et referma la porte derrière elle.

« Je suis désolée, Professeur Wach, fit la jeune femme, en portant une main à son front. Je pensais… c'est une bêtise de ma part, mais j'ai cru que c'était encore une mort subite du nourrisson.

– Encore ? s'exclama Wach. Comment ça, *encore* ? Il n'y a jamais eu de mort subite du nourrisson dans cet institut depuis que je suis entré en fonction !

– Je pense qu'elle fait référence à ce qui s'est passé *avant*, Walter », suggéra Cook, ressentant à la fois de la compassion pour la jeune femme, toute gênée, et une certaine émotion à cause des cris qu'elle avait poussés. « Vous savez, avant que vous arriviez, il y a eu…

– Cela ne me concerne pas ! », répondit Wach bien fort, s'adressant à Cook sans le regarder. Ses yeux demeuraient fixés sur la jeune femme. « Que s'est-il passé au juste ? Comment t'appelles-tu ?

– Phyllis, professeur Wach. Je suis navrée. Nous étions quelques-unes à parler de la mort subite du nourrisson ce matin, alors j'avais ça à l'esprit, et, quand j'ai vu comment il était allongé, eh bien, j'ai tâté son torse pour voir s'il bougeait, et il ne bougeait pas, ou en tout cas j'ai cru qu'il ne bougeait pas, et je ne l'entendais pas respirer, et quand je l'ai pris dans mes bras, il m'a paru tout mou… »

La porte de la nursery s'ouvrit et Sally réapparut, l'index sur les lèvres. «Éloignons-nous de là», dit-elle en attirant tout le monde un peu à l'écart. «Mesdames, on se remet au travail», dit-elle aux trois auxiliaires qui avaient rejoint l'attroupement. Cook vit que Aaskhugh en faisait également partie, les sourcils frétillant de questions non formulées. «Tout va bien, dit Sally. Fausse alerte. Ça va mieux, Phyllis ?» Elle lui passa un bras autour des épaules tandis qu'elles s'éloignaient.

Cook s'était retourné pour partir dans l'autre direction et regagner le couloir principal lorsque Wach l'apostropha.

«Jeremy, je ne veux pas que ce journaliste ait vent de ça. S'il a entendu les cris, dites-lui que c'était une plaisanterie ou inventez quelque chose. Ne lui dites rien s'il n'a pas entendu. Est-ce clair ?

– Oui », répondit Cook. En retournant dans le couloir circulaire, il entendit Wach parler à nouveau.

«Toi, là, machine… dans mon bureau. »

Cook referma la porte derrière lui et vit Philpot émerger des toilettes, un sourire interrogateur aux lèvres.

«J'ai eu une petite surprise là-dedans», dit-il à Cook qui s'approchait.

Cook jeta un coup d'œil à Stiph, qui continuait à dormir, manifestement nullement troublé, et s'approcha du journaliste en se demandant de quoi il voulait parler. Puis il comprit. Ce devait être ça. Le timing correspondait parfaitement. En entendant les cris, Wach avait dû prendre le raccourci.

« Je sais, dit Cook. Il devrait vraiment frapper avant d'entrer. »

Il y avait une singularité architecturale qui expliquait la « petite surprise » de Philpot. Les toilettes hommes à cet étage étaient adjacentes au bureau de Wach, et une porte exiguë, spéciale, permettait de passer du bureau aux toilettes. Cette porte faisait l'objet d'une controverse à Wabash, car elle donnait directement sur les uniques toilettes pour hommes. En dépit de réclamations répétées, et bien qu'une motion ait été officiellement déposée par Cook lors d'une récente réunion, motion instantanément soutenue par Woeps, mais ensuite retirée de l'ordre du jour, Wach s'obstinait à ne jamais frapper. Habituellement, il se retirait en présentant ses excuses. Parfois, il traversait impudemment, empruntant le raccourci pour atteindre l'escalier ou l'ascenseur, au lieu de faire le tour ou de passer par l'espace central. Cook nourrissait un fantasme de vengeance dans lequel il imaginait le personnel au grand complet faisant irruption dans les cabinets au moment où Wach y serait. Après quoi le fantasme devenait flou ; c'était uniquement cette image qui lui plaisait.

Woeps s'approcha d'eux d'un pas pressé, enfilant un pull sans même se donner la peine d'enlever ses lunettes. Son col, évidemment, accrocha la monture, et elles tombèrent aux pieds de Cook. Cook les ramassa, soulagé qu'elles ne soient pas cassées. Il les tendit à Woeps et fit signe à Philpot.

« Ed, je te présente…

– Pas maintenant, Jeremy. Amy est tombée et s'est méchamment cogné la tête. Je retrouve Helen à l'hôpital.

– C'est grave ?

– Ils vont lui faire une radio. » Il se précipita dans la cage d'escalier et disparut.

« C'est celui que vous aimez bien ? demanda Philpot.

– Oui », répondit Cook sans réfléchir. Ce n'est qu'ensuite seulement qu'il saisit le sous-entendu. Il trouva remarquable que Philpot ait si facilement réussi à déceler l'inimitié qu'il éprouvait pour les autres. « C'est triste. Sa fille Amy a un problème musculaire, je ne sais pas quoi exactement.

– Et son fils, celui qui est ici à la crèche pendant la journée ?

– Wally ? Il va bien. Un gamin en bonne santé. » Il indiqua un endroit sur sa droite. « Vous voulez qu'on entre dans la salle de jeu ? Nous pourrions voir quelques enfants et rencontrer certaines puéricultrices. »

Ils revinrent sur leurs pas et entrèrent par la porte nord, celle que Cook avait empruntée en entendant les cris. (Deux autres portes, l'une à l'est et l'autre au sud, permettaient de passer du couloir à l'espace central, une quatrième débouchait directement sur le bureau de Wach ; mais comme pour les toilettes, celle-ci était toujours fermée de l'intérieur, si bien que pour arriver jusqu'à Wach lorsqu'on venait du couloir il fallait impérativement passer par le bureau de Mary-la-secrétaire.) La porte de la nursery était toujours fermée, et tout semblait calme. Un peu plus loin, ils s'arrêtèrent devant une porte entrebâillée.

« Voici la salle de jeu des tout-petits, expliqua Cook. De neuf à vingt-quatre mois. »

Ils entrèrent et assistèrent, les yeux braqués vers le sol, à une frénésie d'activités antisociales. Chaque enfant s'amusait avec un jouet, avec ses mains ou avec un peu de bave, comme s'il était seul au monde. Cook salua Jane, l'une des auxiliaires, et la présenta à Philpot. Il remarqua qu'elle avait ce regard un peu absent qu'il voyait souvent à Wabash – symptomatique des longues heures passées à s'occuper des bébés. Il avait souvent le même problème quand il était en observation et passait sans aucun doute à côté d'énormément de données pour cette raison.

« Ça en fait, des gosses », dit Philpot, en regardant la douzaine d'enfants au sol.

Cook crut détecter une pointe de dégoût. Était-il possible que Philpot, comme Wach, déteste les enfants ?

« Du coup, les miens me manquent, ajouta Philpot.

– Combien en avez-vous ? demanda Jane.

– Deux. Un garçon de onze mois, et une fille de trois ans. Dont je vais louper l'anniversaire demain. » Philpot soupira. « Je ne peux pas faire autrement. »

Il y avait tant de pathos et de regret dans sa voix que Cook réprima la tentation de passer un bras consolateur autour des épaules du pigiste. Jane, l'auxiliaire, parut également compatir, mais bon, les auxiliaires de puériculture étaient souvent de grandes sentimentales. Cook en regarda une autre qui chantait, accroupie, une berceuse à un petit bonhomme tonique et dodu. Elle n'était à Wabash que depuis deux jours. Elle s'appelait Paula. Ravissante. Étudiante en deuxième cycle à l'université de Los Angeles ; ici uniquement pendant l'été. Très commode, ça. C'était toujours un peu gênant lorsque ses ex-maîtresses restaient à l'institut après que les choses avaient capoté avec lui. Il l'observa qui rattachait ses cheveux pour dégager son front. Il allait devoir faire rapidement sa connaissance. Pourquoi Wach ne faisait-il pas son boulot en présentant les nouveaux arrivants à tout le monde dès le début ? Si Cook était aux manettes, c'est ainsi que ça se passerait, et tout ne resterait pas aussi flou. Paula était désormais assise, tournant le dos aux deux hommes, totalement absorbée par sa chanson.

Une petite fille se mit à pleurer, Jane s'excusa et alla vite s'occuper d'elle. Cook retourna dans le couloir avec Philpot, et, au même moment, deux garçons du groupe des quatre ans arrivèrent en courant, gloussant bruyamment.

« Chut, fit Cook en montrant du doigt la nursery. Vous devriez être en salle de sport, les enfants. »

Le plus jeune, intimidé, se retourna de suite, prêt à repartir, mais l'autre indiqua la salle de jeu.

« Je veux montrer à Bobby la petite fille qui dit *"beuk-euh-beuk"*. » Les garçons se remirent à glousser. « C'est quoi son problème ? Elle est *bête* ou quoi ?

– Elle est petite, c'est tout. Allez, retournez d'où vous venez.

– C'est qui *lui* ? demanda le même gamin, montrant Philpot comme s'il avait eu des antennes et une ampoule à la place du nez. »

Cook soupira.

– C'est un policier-pompier-cow-boy, et il sera en salle de sport dans quelques minutes pour vous expliquer comment faire pour devenir comme lui, alors allez-y. »

Les garçons regardèrent Cook comme s'ils avaient l'intuition que, malgré son autorité, celui-ci leur racontait n'importe quoi. Dans le doute, ils obéirent.

« En face, fit Cook en poursuivant la visite, c'est la salle du personnel. À côté se trouve un réfectoire pour les enfants. On l'appelle "McDonald's" juste pour leur faire plaisir, même si les plus grands, comme ces deux-là, savent que c'est un mensonge. » Cook lui fit traverser la pièce pour accéder aux autres salles de jeu, à la salle de lecture et aux ateliers. Là, un imposant collègue barbu de Cook, excellent linguiste et redoutable rival sexuel, était en train d'installer une caméra, avec l'aide d'un technicien.

Cook avait une bonne opinion de Milke sur le plan professionnel, mais ne l'appréciait pas trop. Les femmes de Wabash ne manquaient jamais une occasion de louer son charme. Cook avait, de nombreuses fois, essayé de savoir ce qu'il avait de si charmant, mais n'avait jamais rien obtenu d'elles qu'un charabia à propos de sa voix et de sa façon de vous regarder. Mais si on lui avait explicitement posé la question, Cook aurait reconnu qu'une sorte d'autorité naturelle se dégageait des yeux de Milke, ceints qu'ils étaient par la broussaille noire de sa chevelure et de sa barbe. Et puis il était intelligent, l'enfoiré. Autrement dit, comparé aux autres – disons l'agaçant Aaskhugh, ou l'affreux Orffmann –, il était plus difficile d'éprouver de l'antipathie pour Milke, même si Cook s'y employait avec détermination. Son nom même, « Milke », l'aidait en cela, et Cook y pensait souvent. Ce nom suggérait quelque chose de dégoulinant. Pour la moitié de la communauté de Wabash, ce nom était un homonyme de *milk*, le lait. Pour l'autre moitié, le mot était dissyllabique, et se prononçait davantage comme *mil-ky*, l'adjectif apparenté, *laiteux*. Cook déplorait cette indécision et s'efforçait de ne jamais faire référence à lui au fil d'une conversation pour ne jamais avoir à trancher. Ce qui signifiait qu'il allait être délicat de présenter correctement Milke à Philpot. Mais il s'avéra finalement que la tâche lui fut épargnée, et Cook n'eut pas à se compromettre sur ce point.

« Bon sang, merde, pas étonnant que ça ne fonctionne pas ! », s'écria Milke en s'adressant au technicien. Toutes les conversations s'interrompirent dans la salle, et la plupart des enfants jusqu'alors en train de peindre avec leurs doigts levèrent la tête, attendant la suite.

Le technicien marmonna quelque chose en guise d'explication.

« Comment ça, "plus de piles" ? Nom de Dieu ! »

Le technicien marmonna à nouveau.

« Quel misérable grippe-sou, celui-là ! », hurla Milke. Il s'approcha de Cook et de Philpot, semblant sur le point de fouiller leurs poches en quête de piles. Ils s'écartèrent et Milke se contenta de passer devant eux en coup de vent. Cook crut sentir un relent d'alcool, mais ce pouvait aussi bien être du déodorant ou de l'eau de Cologne. Milke disparut par la porte est, et s'engagea dans le couloir principal en direction du bureau de Wach, qui n'était qu'à quelques mètres de là où Cook et Philpot se tenaient, si seulement l'accès par la porte ouest avait été possible. Cook se retourna pour regarder. Les stores sur la vitre, habituellement complètement clos, étaient écartés à hauteur des yeux ; les lames reprirent instantanément leur position initiale lorsque Cook y posa le regard. Wach ne serait pas surpris par son visiteur.

Tandis que Cook et Philpot traversaient le « McDonald's » – Philpot ayant exprimé le désir de retourner au bureau de Cook afin de reprendre ses questions d'ordre linguistique, ce à quoi Cook s'était empressé de consentir –, Cook réfléchit au nombre de phrases intéressantes qu'il avait saisies au vol aujourd'hui. Il était tellement perdu dans ses pensées qu'il lui fallut un moment avant de remarquer que la nouvelle, Paula, se tenait à présent en compagnie de Jane devant la machine à café. Elles tournaient le dos à la salle. Cook et Philpot allaient passer assez près d'elles. Le premier « Bonjour » que Cook allait lui adresser – d'une voix aussi profonde, espérait-il, que celle de Milke – était déjà en route du fond de son larynx, lorsqu'il entendit Paula prononcer une phrase. Celle-ci consistait en une combinaison de voyelles et de consonnes qui aurait pu être fortuite, générée par l'un de ces singes parmi les six millions installés devant leurs six millions de machines à écrire. Oui, cette phrase aurait pu être totalement fortuite, mais elle ne l'était probablement pas.

« *Cook, il foire tout, c'est un parfait trou-du-cul.* »

Philpot, qui était passé en premier, se retourna et, bouche bée, adressa à Cook un regard morne et compatissant, tandis que ce dernier avait les yeux fixés droit devant lui, où il n'y avait rien d'autre à contempler que le vide. L'esquisse d'un sourire inconfortable figé sur son visage, il fit son possible pour afficher une assurance amusée – mais ce n'était qu'une apparence.

Chapitre deux

L'esquisse de sourire de Cook demeura impeccablement rivée sur ses lèvres tandis qu'il regagnait son bureau, toujours accompagné de Philpot. Il enjoignit à ce dernier de se mettre à l'aise et lui annonça qu'il allait s'absenter un tout petit instant. Jeremy espérait que l'expression de son visage suggérait la paix intérieure – d'abord aux yeux de Philpot, puis à ceux d'Orffmann, qui leva la tête en fronçant les sourcils lorsque Cook passa devant sa porte entrouverte. Ce dernier se demanda pourquoi son voisin, si immanquablement enclin à rire aux pires moments, n'était alors pas en train le faire à gorge déployée.

Après s'être assuré qu'il était seul, Cook s'avança jusqu'au miroir des toilettes, relâcha ses zygomatiques et observa la lente décomposition de son visage.

« Gnnarnghrackagh de bon sang de rogntudju de bon sang de bordel », s'écria-t-il. Puis, il donna un coup de pied dans une grande poubelle métallique, l'envoyant valdinguer dans un coin. Elle fit un tel vacarme que la peur d'être découvert le calma aussitôt, ou du moins l'empêcha de taper sur autre chose. Il s'avança au-dessus du lavabo, s'approcha du miroir et se regarda dans les yeux. Oui, c'était facile à imaginer. Quelqu'un avait fait faire le tour du propriétaire à Paula, lui mon-

32

trant les salles, les jouets et le reste, lui présentant les gens qu'elle croisait et ceux qu'elle allait bientôt rencontrer, l'un d'eux étant Jeremy Cook, qui, soit dit en passant, était un vrai trou-du-cul. Non – un *parfait* trou-du-cul. La formule initiale avait peut-être été « un vrai trou-du-cul », et le souvenir de Paula avait altéré la formulation originale en « un parfait trou-du-cul ». À moins que la sentence de départ ait été « une espèce de trou-du-cul » ou « un peu trou-du-cul sur les bords », ou « pas trop trou-du-cul », voire peut-être « pas un trou du cul, contrairement aux autres ». Non, il allait trop loin. Il n'y avait aucun moyen d'esquiver. Aux yeux de quelqu'un à l'institut, il était un parfait – ou un vrai, un pauvre, un putain de, etc. – trou-du-cul, et cette personne en parlait à d'autres qui, à leur tour, le considéraient également comme un parfait (ou un vrai, un pauvre, etc.) trou-du-cul qui *foirait tout*.

« Foire tout. » Qui gâche tout ce à quoi il touche. Quelle était déjà cette langue amérindienne qui faisait une distinction dans sa forme verbale entre l'échec neutre objectif et l'échec lamentable ? Le hopi ? Le navajo ? En tout cas, la langue ne manquait pas de synonymes pour décrire ce concept, réalisait à présent Cook. Rater, louper, merder, échouer…

Mais était-ce réellement « il foire tout » ? N'était-ce pas plutôt « y foire tout » ? « Cook y foire »… Était-il possible qu'il ait mal entendu, ou qu'elle se soit mal exprimée ? Et puis en fait, s'agissait-il d'*être* ou d'*avoir* « un parfait trou-du-cul » ? Non. Cela ne pouvait pas non plus le sauver. Il était totalement à côté de la plaque.

« Cook y foire. » Le « y » renvoyait à une notion de lieu. Et puis elle l'avait juste entendu dire. Elle le tenait de quelqu'un. Pas de Jane, avec qui elle discutait devant la machine à café – on ne rapporte pas une information à la personne de qui on la tient. Il ne restait donc comme suspects que la totalité de la population adulte et en mesure de communiquer clairement de Wabash. Ce qui faisait un paquet de gens. Sept linguistes, un administrateur, une secrétaire, une quinzaine de puéricultrices, un technicien et quelques gardiens. Mary-la-secrétaire ne semblait pas le porter dans son cœur ; il était possible qu'elle discute avec les nouveaux arrivants et qu'elle lui casse du sucre sur le dos. Ou peut-être l'auxiliaire au visage chevalin, Dorothy Plough. Elle s'était toujours montrée distante avec lui. Oui, les possibilités ne manquaient pas. Et d'ailleurs, qui avait dit que la source se trouvait nécessairement à Wabash ? Paula venait de l'université de Los Angeles. Cook, au fil de sa carrière, y avait peut-être égratigné un prof dans un article ou une critique, lequel aurait ensuite communiqué l'information à Paula à titre de vademecum. Si c'était le cas, ou même si ça ne l'était pas, l'enquête allait s'avérer compliquée.

Que Paula en particulier ait eu droit à ces balivernes l'ennuyait un peu, mais pas tant que ça, à y repenser. Assurément, il avait maintenant quelques obstacles supplémentaires à surmonter dans ses manœuvres de séduction, mais ceux-ci restaient mineurs. Les choses allaient même pouvoir tourner à son avantage : n'était-il pas exact que les pisse-froid, quand ils se montrent ne serait-ce que modérément aimables, nous apparaissent du coup comme les gens les plus charmants de la Terre ? Sitôt après avoir fait sa connaissance, Paula chercherait en vain à démasquer l'infâme trou-du-cul manifestement caché derrière les charmes irrésistibles de Cook, jusqu'à décider, un beau jour, qu'il avait été injustement diffamé. Sa source serait alors discréditée. Et par là même révélée ? Ha ! *Voilà* la stratégie d'investigation à adopter. Mais il allait devoir agir vite, tout en se montrant extrêmement prudent.

Il ouvrit le robinet et s'aspergea la figure d'eau froide. Se séchant les mains, il perçut, venant de l'autre côté de la cloison, des éclats de voix inintelligibles. Wach et Milke discutaient probablement du budget. Il sourit à cette idée, tout en reconnaissant derechef que c'était un sourire mesquin, voire méprisable. Si se faire traiter de trou-du-cul arrivait à rendre ce genre de moments agréables, il allait devoir se surveiller.

Philpot n'était plus dans son bureau. Cook fila dans la salle principale à sa recherche, supposant qu'il était parti en vadrouille. Jane, l'auxiliaire qui discutait un peu plus tôt avec Paula, vint à sa rencontre – instantanément, il éprouva de l'embarras. Avait-elle pris sa défense en affirmant qu'il était parfaitement adorable ? Avait-elle hésité en s'abstenant de tout commentaire ? Avait-elle répliqué en soupirant : « Oui, mais il y a d'autres domaines où il ne foire jamais. Tu peux me croire… » ? Ne sachant sur quel pied danser, il estima ne pas être en mesure de lui parler. Il pivota donc sur ses talons.

« Professeur Cook ? », l'appela-t-elle.

Il fit à nouveau demi-tour pour lui faire face.

« Le professeur Wach veut vous voir. Mary vous cherchait. »

Cook la remercia sur un ton qu'un parfait trou-du-cul n'aurait jamais pu adopter, puis quitta dignement la pièce. Ça, c'était du Wach tout craché, songea-t-il en arpentant le couloir : si vous voulez que quelqu'un vienne à vous, faites simplement savoir que vous êtes à sa recherche.

Mary-la-secrétaire leva les yeux de son bureau, où elle était en train de détordre un trombone avec la plus grande concentration. « Il vous attend », annonça-t-elle en se donnant des airs.

Wach se leva lorsque Cook entra. Il fit le tour du bureau et ferma la porte derrière lui. D'un geste de la main, il l'encouragea à prendre une chaise. Cook s'y était déjà assis maintes fois, et il savait qu'elle était sciemment placée juste un peu trop loin du bureau de Wach, de manière à ce que celui qui s'y assoie se sente mal à l'aise. Il croisa les jambes en se demandant pourquoi Wach l'avait convoqué. Celui-ci ne dévoilait jamais ses intentions.

« Où avez-vous laissé le journaliste ? demanda Wach.

– Je ne sais pas, dit Cook. Je veux dire, dans mon bureau, mais à présent il n'y est plus.

– Où est-il ?

– Je ne sais pas. Je le cherchais.

Wach avisa Cook avec l'impatience d'un père dont les enfants ont tous été des erreurs de jeunesse.

– Jeremy, on ne peut pas se permettre de laisser cet homme circuler ici à sa guise.

Cook changea de position sur sa chaise.

– Ce n'est pas ce que j'avais prévu, Walter. Mais je ne vois pas où est le problème.

Wach agita sa main devant lui, comme pour balayer chaque mot arrivant à sa portée.

– Je vous retire cette affaire, Jeremy.

Avait-il vraiment dit ça ? Et si c'était le cas, était-il *sérieux* ?

– Qu'entendez-vous par là ?

Wach fit la moue en scrutant Cook.

– Je ne veux plus que ce soit vous qui fassiez visiter nos locaux à Philpot. En outre, nous n'avons que jusqu'à vendredi, dernier délai, pour préparer une demande de bourse. Ed était chargé de réviser le premier jet, mais il a dû s'absenter pour la journée. J'ai besoin que quelqu'un prenne la relève. »

Trois questions s'imposèrent simultanément dans l'esprit de Cook. La première – pourquoi Wach ne pouvait-il pas s'en charger lui-même ? – était une de ces questions qu'on ne peut décemment pas poser à un supérieur. Wach y décèlerait de l'insolence. La deuxième pouvait l'être, mais la réponse allait probablement s'avérer exaspérante.

« Qui a rédigé la première mouture ?

– Clyde. »

Effectivement. La nullité d'Orffmann trouvait toute sa mesure, et bien plus encore, dans ses écrits. La troisième question était osée, mais Cook ne devait pas se défiler.

« Vous avez dit "en outre", Walter. Qu'avez-vous d'autre comme raison pour me retirer Philpot ? »

La moue de Wach vira à une expression d'agacement. L'une de ses règles, à laquelle Cook n'avait pas encore affecté de numéro, car elle n'était pas encore parfaitement claire pour lui, était qu'entre supérieurs et subalternes, les hostilités ne devaient jamais être verbalisées.

« Disons juste que j'estime être en mesure de faire du meilleur boulot, dit Wach.

– *Disons juste* ? demanda Cook. Plutôt que quoi ?

– Dites donc, vous avez quand même un peu fichu le bordel, là, non ? » À présent, Wach parlait vite, ses mots s'échappaient, non censurés. « Vous me laissez

37

tomber sur ce journaliste dans les toilettes. Une situation inconfortable pour l'un comme pour l'autre, je dois dire. Ensuite vous le laissez assister à la crise de Milke. Que va-t-il penser de cet endroit ? Et maintenant vous ne savez même pas où il est passé ? »

Cook éclata de rire. C'était ça ou sauter par-dessus le bureau et arracher les oreilles de ce cinglé avec ses dents.

« C'est plus grave que vous ne le pensez, Jeremy. Ce journaliste pourrait très bien placer son article dans un journal national, et nous nous retrouverions exposés au jugement de tout le pays.

– Mais il n'y a rien à cacher ici, Walter. Si vous lui faites faire une bonne visite, je ne vois pas…

– Vous ne comprenez strictement rien à ces choses, Jeremy. Bon, vous feriez mieux de vous mettre au travail pour cette demande de bourse. Je la veux finalisée demain matin à huit heures. Vous la trouverez dans le bureau d'Ed. Demandez à Mary de vous l'ouvrir. »

Et merci d'accepter de vous y coller comme ça, au pied levé, Jeremy. C'est gentil de votre part, d'autant que vous allez avoir une longue journée, songea Cook alors qu'il se relevait, ce qui le réconforta. En ouvrant la porte, il vit Philpot assis à quelques pas de Mary. Celui-ci adressa à Cook un sourire amical.

« Le professeur Wach va maintenant vous recevoir », annonça Mary d'un ton morne.

Cook exprima à Philpot ses sincères regrets de ne pas être en mesure de l'accompagner pour le reste de la journée (voire le reste de son séjour à Wabash, songea-t-il). Philpot suggéra qu'ils se retrouvent pour boire un verre plus tard dans la soirée. Cook se demanda si Wach verrait cette initiative d'un bon œil, puis s'en voulut d'en être au point de se poser la question. Il accepta donc, annonçant à Philpot qu'il l'appellerait à son motel une fois qu'il aurait fini ce qu'il avait à faire.

« Il est possible que ce soit un peu tard. Onze heures, minuit ?

– Pas de problème, dit Philpot. Je vous souhaite une bonne journée. Et ne vous laissez pas abattre par tout ça. »

Cook demanda son passe à Mary, et, contrairement à la politique en vigueur, Mary le lui remit, au lieu de l'accompagner jusqu'au bureau de Woeps, d'ouvrir elle-même la porte, de l'observer attentivement, puis de fermer à clé. Cook s'en réjouit. Un acte de désobéissance, même à petite échelle – et sans doute motivé par la paresse –, signifiait que l'on allait peut-être pouvoir compter sur Mary quand éclaterait la révolution.

Et ce bon vieux Philpot, qui lui avait lancé : « Et ne vous laissez pas abattre par *tout ça*. »

Certes, il y avait l'histoire du *parfait trou-du-cul*, mais, Philpot avait dû se rendre compte d'autre chose, comme par exemple du fait que Wach l'avait convoqué, et qu'il était sur la sellette. Philpot était vif, ce qui signifiait que Wach ne pourrait rien lui dissimuler et ne s'attirerait que des ennuis en essayant.

Sifflotant et marchant d'un pas leste, Cook déposa dans son bureau la demande de bourse que Woeps avait commencé à corriger, puis il restitua son passe à Mary. De retour, il décida de prendre un peu de recul pendant quelques heures, pour y voir plus clair. Un des points positifs, peut-être le seul, de l'ère Wach, était la totale liberté accordée aux linguistes en matière d'emploi du temps. Wach s'était lui aussi, il y a des années, consacré à la recherche, et il savait que les penseurs professionnels travaillent de manière optimale lorsqu'ils décident eux-mêmes de leur rythme.

Cook allait donc rentrer chez lui, manger, boire une bière et revenir chargé à bloc, comme si le fait d'avoir à bûcher sur ce dossier était son idée.

Il prit son manteau et ferma la porte à clé. Sur le chemin de l'ascenseur, il surprit un Arthur Stiph éveillé dans la salle de jeu. Il s'arrêta devant la fenêtre d'observation. Stiph était adossé à un mur et étudiait deux enfants en train de jouer par terre avec une balle de tennis. Le linguiste en pleine observation avait sa veste juste posée sur les épaules, sans en avoir enfilé les manches qui pendouillaient, vides. Les gamins avaient dû faire quelque chose d'amusant car Stiph riait doucement, et tandis qu'il se tenait là, sans bras, ou tout comme, ses yeux pétillaient.

Jeremy Cook poursuivit son chemin, songeant que ce spectacle était ce qu'il avait vu de plus beau de toute la journée.

La maison de Cook se trouvait en pleine cambrousse. Dans d'autres régions, cela aurait été synonyme de prestige, mais dans le comté de Kinsey, c'était banal. Et à moins de vouloir absolument se coltiner le centre-ville et des voisins à l'accent nasillard, on habitait à la campagne. Il était installé dans une espèce de bicoque à la charpente en bois, d'un seul étage, très en retrait d'une petite route peu fréquentée ; son jardin consistait en deux hectares et demi d'une prairie livrée à elle-même, et bordée de chênes. C'est ici qu'il dormait, travaillait, recevait des convives – généralement un à la fois – et mangeait son Rata du grognard.

La philosophie de Cook en matière d'alimentation était crûment réaliste. La faim était une sensation, une douleur qui interférait avec des choses importantes, telle que la linguistique. La nourriture soulageait cette douleur. Elle permettait de poursuivre l'étude de la linguistique. Son plat de prédilection était le Rata du grognard, un mets unique, semblable à un ragoût, composé essentiellement de viande hachée et de sauce ; on pouvait l'améliorer, ou du moins le rendre plus consistant, grâce à l'adjonction de riz ou de nouilles, mais on pouvait aussi l'agrémenter de tomates, de piment ou de bouillon en cube pour donner une illusion de saveur. Du point de vue de Cook, la formidable vertu de son rata n'était pas tant qu'il le faisait grogner (encore qu'il devait bien y avoir un rapport, sinon il ne l'aurait pas baptisé ainsi), mais plutôt qu'il lui faisait passer l'envie de manger pour un bout de temps. Voire pour toujours.

En arrivant chez lui, Cook composa le numéro de Woeps pour prendre des nouvelles d'Amy, mais personne ne décrocha. Il envisagea de téléphoner à l'hôpital, mais décida qu'il serait trop compliqué d'arriver à joindre son ami. Il alla dans la cuisine se préparer son mets favori, ou plutôt fit réchauffer les restes du précédent, et il attaqua son assiette avec plus d'empressement que de délectation. Encore brûlants, les ratas étaient tout juste nourrissants, ni bons ni mauvais. Mais tièdes ou froids, c'était une insulte à la notion même de cuisine. Les deux bières qu'il but apportèrent un peu de fluidité à la chose. Après avoir un peu grogné, il se servit une tasse de café, enfila un pull-over et sortit dans le jardin où, au loin, un gazon modérément entretenu se métamorphosait petit à petit en un pré négligé. Il s'affala sur une chaise d'extérieur et posa sa tasse de café sur les briques du patio. Il se cala confortablement, plaça les mains derrière sa tête et ferma les yeux. Un coup de vent ramena ses cheveux sur son front. Il se demanda s'il allait pleuvoir.

Quand il s'éveilla, il était quinze heures passées. Il se leva d'un bond et se précipita dans la maison. Sachant ce qu'il savait sur les dossiers de demande de bourse et sur Orffmann, il avait énormément de pain sur la planche. Il reprit sa voiture, une Plymouth Valiant d'un blanc cadavérique, et parcourut les dix kilomètres qui le séparaient de l'institut. Il se gara à côté d'un camion des services de la voierie du comté de Kinsey et se demanda vaguement ce que ce dernier fichait là. Puis il épia deux ingénieurs à casques orange, et des ouvriers, qui se trouvaient près de l'extrémité du bâtiment. Il fut content de voir Aaskhugh partir. Une distraction potentielle de moins pour la fin de journée.

En attendant l'ascenseur, il tomba sur Sally, qui l'informa que Phyllis, l'auxiliaire de puériculture qui avait poussé un cri, avait été virée par Wach. Certes, Cook connaissait à peine la jeune femme, mais cette nouvelle le mit dans une colère terrible. Il jura dans sa barbe.

Sally hocha la tête.

« Je sais », fit-elle d'un air sombre. Puis elle lui demanda s'il avait vu Philpot.

Il répondit par l'affirmative sans fournir de détails sur sa mise à l'écart.

« Walter me l'a amené en bas, dans mon bureau, dit-elle. Il m'a paru très gentil. J'espère juste qu'il ne va pas avoir une mauvaise impression de l'endroit.

– Pourquoi dites-vous ça ?

– Eh bien, Walter reste collé à ses basques comme du papier tue-mouches. Ce qui le met manifestement mal à l'aise.

Cook sourit. Il lui demanda si elle avait observé certains des enfants parmi ceux qu'il étudiait.

– Wally Woeps, c'est tout.

– Il a refait des *m'boui* ?

– Non. Uniquement quelques *pffff* et *n'deuh*. Je pense que vous avez raison à propos de la distinction.

– Vraiment ? Quels étaient les contextes ?

Elle les lui décrivit. Cook en prit note mentalement, avec la ferme intention de mettre tout ceci par écrit dès qu'il serait dans son bureau.

– Vous êtes revenu parce que vous aviez oublié quelque chose ? demanda-t-elle.

– Non. Un travail urgent, répondit-il, évasif. Je vais rester ici jusqu'à pas d'heure, je le crains… »

Tout en parlant, Jeremy fit un pas en avant tandis que les portes de l'ascenseur s'ouvraient. Il heurta soudain quelqu'un. C'était Arthur Stiph, sur le départ après une dure journée de travail.

« Désolé, Arthur ! », fit Cook.

La collision avait été assez violente.

« Pas de problème, Jeremy », dit Stiph avec un sourire empreint de mélancolie, tout en ramenant sa chevelure grise en arrière d'un geste de la main. « Jusqu'à pas d'heure, hein ? Vous êtes un garçon fort occupé », dit-il, puis il tapota l'épaule de Cook en poursuivant son chemin.

« Je penserai à vous quand j'en serai à mon deuxième martini, Jeremy », dit Sally à son tour en lui faisant au revoir de la main.

C'était une plaisanterie car (*a*) il était de notoriété publique à Wabash que Sally ne buvait jamais une goutte d'alcool, et (*b*) parce qu'elle avait déjà charrié Cook auparavant, lui demandant si le fait qu'il boive autant ne l'inquiétait pas ; ce qui avait laissé ce dernier abasourdi.

Cook lui répondit par un geste de la main et se précipita à l'intérieur de l'ascenseur avant que les portes ne se referment.

C'était le moment de grande affluence à Wabash. Entre quinze heures trente et dix-huit heures, chaque jour, l'institut passait par une phase de transition. Les parents défilaient pour venir chercher leurs enfants, espérant les récupérer indemnes après une nouvelle journée d'investigation linguistique. Dans le comté de Kensey, un malaise persistait au sujet de Wabash, et pour cette raison, une infime fraction de la paranoïa de Wach était justifiée. Les gens éprouvaient toujours une sorte de méfiance à l'égard de cette mise sur écoute perpétuelle, obsessionnelle et disciplinée dont leurs enfants faisaient l'objet. Cette inquiétude était rarement verbalisée, mais après moult discussions avec les voisins et d'autres gens du bourg à propos de son travail, Cook savait qu'elle était largement partagée. Heureusement, les frais d'inscription à la crèche de Wabash étaient suffisamment peu élevés pour que les données continuent d'affluer.

Le remue-ménage devant la porte de Cook, en fin d'après-midi, ne l'importunait jamais. Il travaillait aussi bien avec un brouhaha continu que dans le silence le plus complet. C'étaient les bruits plus occasionnels qui l'ennuyaient, comme le rire désincarné d'Orffmann. Il travailla donc efficacement jusqu'à dix-huit heures, lorsque Wabash ferma ses portes, et que les locaux se vidèrent peu à peu, puis il continua à besogner joyeusement dans le silence qui s'ensuivit. Il ajouta l'observation que Sally lui avait fournie dans le dossier Wally Woeps et y réfléchit un moment. Puis il se remit à la tâche. Ah, il détestait les demandes de subvention. Les promesses creuses ; la célébration pompeuse des succès passés ; l'emphase auto-promotionnelle et l'usage de plus en plus répandu de mots tels *importance* et *significatif* ; l'absence systématique de litote ; l'omniprésence de l'exagération ; l'allégeance servile à la tradition, au protocole et à la procédure établie ; le caractère fondamentalement prévisible des phrases ; l'avidité implicite de la démarche – c'était vraiment atroce, tous ces éléments atteignant leur lamentable paroxysme sous la plume d'Orffmann. Mais Cook travailla dur et de manière productive jusqu'au soir, son cerveau carburant grâce à ce qu'il savait être le mélange protéino-glucidique qui constituait l'essence même de son rata.

À vingt heures, il fit une pause et alla aux toilettes au bout du couloir pour rincer sa cafetière et la remplir d'eau. De retour dans son bureau, il fut ragaillardi par le chuintement du café en train de passer. Il ôta son pull-over et entrouvrit la fenêtre. Le ciel était assez sombre, nuageux, et l'air, saturé d'humidité, annonçait un été poisseux. Il fixa un moment les livres alignés dans sa bibliothèque, puis se replongea dans son labeur. À présent qu'il commençait à croire aux chances du dossier d'Orffmann, l'écriture et la révision avançaient sans effort.

Quand il eut terminé, il reposa son stylo-plume en le faisant claquer sur le bureau, se cala au fond de son siège, étira ses bras et poussa un grognement sonore. Il frotta l'arête de son nez, à l'endroit où reposent les lunettes, soupirant du plaisir de l'honnête travailleur. Il consulta sa montre : vingt-trois heures quinze. Dans l'annuaire, il trouva le numéro du motel de Philpot et le composa, ravi de pouvoir boire un verre ou deux avec le journaliste avant d'aller se coucher. Cela allait sans doute être amusant de parler de Wach avec lui.

Mais Philpot n'était pas dans sa chambre. Il n'était pas non plus au bar, d'après le type de la réception. Cook laissa son numéro et un message où il suggérait au journaliste de le rappeler dès son retour. Puis il se mit à rêvasser. Il songea à Woeps et s'en voulut de ne pas l'avoir rappelé pour savoir si Amy allait bien. Ce qui était probable – Woeps avait tendance à paniquer, même face à de menus incidents. De toute façon, il était trop tard pour téléphoner. Les couples mariés avec enfants, il le savait, allaient au lit à des heures incroyables, vingt-et une ou vingt-deux heures ! Puis il pensa un peu à la nouvelle, Paula, à sa longue chevelure et à ses traits délicats, et espéra qu'elle n'allait pas s'échapper, terrorisée, quand il se présenterait à elle. Et si c'était le cas ? Eh bien, il y avait cette jeune maman qu'il avait saluée la semaine dernière et qui, à en juger par son sourire, devait être divorcée. Woeps l'avait repérée lui aussi et avait partagé l'enthousiasme de Cook pour elle. Un enthousiasme purement théorique, s'empressa-t-il d'ajouter mentalement, puisqu'Ed était marié. C'était sans doute pour cette raison que Woeps sifflotait souvent des airs un peu tristes.

Un dérapage bruyant se fit entendre depuis la route. S'ensuivit un violent coup de frein, et un long crissement de pneus. Cook se crispa dans l'attente du carambolage, mais rien ne se produisit. Le calme se fit peu à peu à l'extérieur, et le silence s'installa à nouveau, comme si rien ne s'était passé. Il n'entendit plus que le froissement d'une feuille sur son bureau, soulevée par une douce brise qui entrait par la fenêtre ouverte, et une fois qu'il eut posé la main sur le papier, il n'y eut plus que le discret bruissement des arbres au dehors.

L'accident avait eu lieu tout près. Il se leva, remonta au maximum la fenêtre à guillotine et passa la tête à l'extérieur. La route était six étages plus bas, elle partait d'un petit promontoire sur sa droite et descendait en pente sur sa gauche, à une quinzaine de mètres de l'institut. C'était une petite route, bien moins fréquentée que la principale, de l'autre côté du bâtiment. Il en distinguait le tracé dans la nuit, mais sur la gauche, la vue était bouchée par l'aile contiguë qui faisait comme une avancée. Les signes du dérapage étaient invisibles. Il tendit l'oreille : le vent soufflait mollement, en lutte contre l'air saturé d'humidité.

« Tout va bien ? »

Il y eut une longue pause. Silence. Il attendit, aux aguets. Sa voix lui avait paru faible et chétive dans l'air nocturne, mais on l'avait certainement entendu.

« Ça va ? »

Un autre silence. Rien. Une bouffée d'angoisse le prit, motivée par le son désespéré de sa propre voix. Il rentra la tête à l'intérieur et s'assit, se frottant le front en essayant de se calmer. Il demeura immobile un moment, espérant entendre autre chose et comprendre ce qui s'était passé.

Au bout d'un moment, il se mit à ranger son bureau, rassembla les pages du dossier de demande de subvention, les classa dans l'ordre et en fit une pile bien nette. De nouveau, il s'immobilisa, à l'écoute.

Un claquement de portière. Un bruit de moteur. Puis un démarrage en trombe. Cook se releva d'un bond et se précipita à la fenêtre. Rien. Il sortit en toute hâte de son bureau et courut jusqu'à l'escalier conduisant à l'autre aile du bâtiment. Il descendit les six étages à toute vitesse jusqu'au rez-de-chaussée, dévalant les marches deux par deux ou trois par trois, et se remit à courir jusqu'à la sortie, tout au bout d'un long couloir. Il ouvrit la porte et regarda en vain des deux côtés.

Puis il descendit une bande herbeuse qui le séparait encore de la route, mais ne vit rien de plus. Tout cela n'était peut-être que le produit de son esprit fatigué et saturé de formules creuses. Puis il les aperçut – de longues traces de pneus, à peine visibles dans le noir, sur une douzaine de mètres. Mais ni bris de verre ni tôle froissée. Aucun signe d'accident. Il longea les longues traînées laissées par la gomme sur le bitume, examinant attentivement la route, ainsi que les bas-côtés de part et d'autre. Il se tint un moment debout sur les traces du dérapage et réfléchit.

Il haussa les épaules. Le chauffeur avait vu quelque chose et donné un grand coup de frein. Un chien, peut-être. Ou un chat. Le vent se leva et le fit frissonner. Il frotta ses bras nus, regrettant de ne pas avoir pris son pull, et rebroussa lentement chemin en direction de l'institut. L'obscurité avançait avec lui. Il tenta en vain d'introduire la clé dans la serrure, avant de se souvenir que celle-ci n'ouvrait que l'entrée principale, à l'autre bout du bâtiment. Il trembla, réfléchit un instant, puis se retourna et se dirigea vers le parking. Il avait terminé son travail, il était donc inutile qu'il remonte à son bureau. Il lui parut important de s'en aller maintenant, de s'éloigner. Sur les trente derniers mètres jusqu'à sa voiture, il courut.

Au lieu de filer par la sortie principale, il quitta le parking en empruntant la petite route secondaire et immobilisa sa Valiant juste au niveau des marques sur le bitume ; il ouvrit la portière et descendit en laissant le moteur tourner et les phares allumés. Aiguillonné par un étrange pressentiment, il examina à nouveau la route et les bas-côtés. C'étaient des traces de pneus – pas grand-chose d'autre à dire. Debout au milieu de la route, les bras croisés, il prit conscience des bruits nocturnes. Il entendit des grillons tout autour de lui, un vacarme qui s'étendait de toutes parts, tout comme s'il en était encerclé. Et au loin, vers le sommet de la colline, il crut distinguer le hululement d'une chouette.

Il frissonna et retourna en hâte à sa voiture. Un chien, un chat ou un écureuil. Comme le cri de Phyllis, une fausse alerte. Rien de grave. Il reprit la route dans le sens de la montée. Une fois qu'il eut passé l'aile inoccupée de Wabash, celle qui faisait saillie, il aperçut en levant la tête un bureau encore éclairé au sixième étage. Il lui fallut un certain temps avant de comprendre qu'il s'agissait du sien. Il ralentit, puis s'arrêta. Il distingua les étagères pleines de livres, un tableau accroché au mur et, sur un autre, un calendrier. En fixant son bureau, il eut l'impression de ne pas en être vraiment sorti, comme s'il était encore là-haut, en train de travailler studieusement, seul. Et pourtant, au même instant, il était ici, dehors, dans sa voiture, à observer – ayant l'horrible et rare privilège, grâce à un hasard extraordinaire, de s'épier lui-même.

Jamais encore il ne s'était senti aussi mortel.

Chapitre trois

« Mary, je ne me suis pas réveillé ce matin. Il y a un dossier de demande de bourse sur *mon* bureau, que Walter voulait avoir à huit heures sur *le sien*. Pouvez-vous aller le chercher et le lui apporter ? Si on vous le demande, dites que j'arrive au plus vite. Vous voulez bien faire ça pour moi ? »

Cook passa la main dans ses cheveux en bataille et se racla la gorge. Sa voix était rauque et ses yeux, encore mi-clos.

« Bien sûr, professeur Cook, répondit Mary-la-secrétaire. Je vais aller le récupérer. Le professeur Wach est arrivé, et il est presque neuf heures, mais il n'a rien dit au sujet de la demande de bourse. » Elle s'interrompit, puis ajouta, un sourire frémissant probablement sur ses lèvres rouges : « La nuit a été mouvementée ?

Cook s'imagina lui botter son postérieur de secrétaire.

– Oui, Mary. Maintenant, si vous voulez bien vous en occuper, c'est assez important…

– Très bien. J'y vais de ce pas. Et je dirai au professeur Wach que vous arrivez de même. » Elle gloussa. « Que dites-vous de ça, professeur Cook, de votre point de vue de linguiste ? »

Cook rit poliment, raccrocha et cracha un juron. Il s'habilla, se peigna, décida de ne pas se raser, puis sauta en catastrophe dans sa voiture. C'était une journée sombre : les nuages étaient bas, et l'air, tellement chargé d'humidité qu'il évitait d'inspirer trop profondément de peur de suffoquer. Il roula jusqu'à Wabash, passant plus souvent à l'orange qu'au vert, espérant que Wach était bien luné.

À sa sortie de l'ascenseur, au sixième étage, il tomba sur Woeps. Son ami paraissait plus voûté qu'à l'accoutumée, la mine triste et perplexe.

« Jeremy », dit-il. Son visage se radoucit un peu lorsqu'il aperçut Cook, mais sans vraiment s'éclaircir pour autant. « Dieu merci, te voilà… » Il hocha plusieurs fois la tête, mais d'une manière que Cook ne lui connaissait pas. « Jeremy, on a retrouvé Arthur Stiph dans ton bureau ce matin. »

Cook hésita, puis éclata de rire.

« Endormi ? Tu veux dire qu'il a…

– Non ! le coupa Woeps impatiemment. Il est mort. Il est mort, et dans ton bureau. »

Cook tenta de prendre appui contre le mur, mais il était trop loin. Il dut faire deux pas en arrière avant de pouvoir s'y adosser. Stiph était âgé. Et les personnes âgées mouraient. Il fallait donc s'y attendre. Mais pas dans son bureau. Pas dans son bureau *à lui*.

« De quoi… je… De quoi est-il mort ? »

Woeps tendit les bras à son tour et prit Cook par les épaules. « Du calme, Jeremy. » Puis il relâcha progressivement son étreinte. « Je ne sais pas, dit-il. Mary l'a trouvé ce matin en ouvrant ton bureau. Elle a hurlé comme un putois.

– Mais qu'est-ce qu'il est venu faire *dans mon bureau* ?

– Je ne sais pas. Je ne sais pas du tout.

– Je veux dire… Est-ce qu'il est entré comme ça pour… pour mourir ?

– Je ne sais pas. Je ne comprends pas. Tout cela est très triste.

– Bon sang, souffla Cook dans sa barbe naissante. J'ai laissé ma porte grande ouverte hier soir. C'est comme ça qu'il a pu entrer. Il devait se balader, il aura vu la lumière et la porte ouverte, et sera entré. J'ai entendu un crissement de pneus, alors je me suis précipité dehors sans fermer derrière moi. J'ai eu peur que quelqu'un ne soit blessé… » Il sentit à nouveau ses jambes se dérober sous lui. « Oh, doux Jésus. Doux Jésus.

– Que se passe-t-il ? »

Cook ne répondit pas. Il se précipita dans le couloir et se fraya de force un passage parmi les gens agglutinés devant son bureau. Tous piétinaient sur le seuil comme devant un lieu sacré. Arthur Stiph était calmement assis. Cook fit quelques pas et s'arrêta, scrutant le corps avec méfiance, comme s'il craignait que ce dernier ne fasse soudain quelque chose d'étrange. Stiph était bizarrement affalé sur le siège de Cook : de tout son long, rigide, semblant aussi peu à l'aise qu'un mannequin sur la grande roue d'un parc d'attraction. Cook trouva toutefois que Stiph, bien qu'à peine en équilibre sur le siège, les roulettes sur le point de se dérober, était parfaitement à son image lorsque Cook lui-même était dans sa position préférée et sur le point de piquer un petit somme : yeux clos, jambes allongées, la nuque creusée par le fin tranchant du dossier (ce qui réduisait avantageusement l'afflux de sang au cerveau) et l'arrondi des fesses tout au bord du siège. Il y avait d'une certaine manière quelque chose d'étrangement naturel dans la posture du cadavre. Mais un détail tira Cook de ses réflexions.

Stiph n'avait plus de cheveux.

Ses cheveux gris avaient disparu, ce qui poussa Cook à s'approcher encore davantage du corps pour s'assurer que c'était effectivement celui de Stiph. Mais il n'y avait pas d'erreur possible. C'était bel et bien lui, mais peut-être délibérément mis en scène de cette façon dans un but précis.

Cook s'avança, entendant à peine le murmure des gens derrière lui ; pas un n'avait choisi de le rejoindre à l'intérieur du bureau. Supposant que Stiph portait une perruque qu'il avait perdue au moment de sa mort, Cook entreprit de la chercher à terre, mais il ne trouva rien. Il examina la tête et vit des plaques de poils ras çà et là, des petites coupures et des traces rouges, comme si le cadavre avait été violemment tondu à sec. Cook recula d'un pas. Stiph, songea-t-il, n'avait pas fait les choses comme tout le monde. Il s'était rasé la tête à la va-vite et avait pénétré dans le bureau d'un autre pour y rendre l'âme. Peut-être. Mais il y avait eu ce dérapage en pleine nuit, les traces de pneus, la tristesse de ce bruit dans la lourdeur de l'air nocturne.

« Excusez-moi, monsieur, mais j'ai besoin que vous sortiez d'ici. »

Cook se retourna. Un type venait de franchir le seuil, bouille grasse, taches de rousseur, grosse surcharge pondérale, soufflant comme un bœuf.

« Désolé, dit Cook. Est-ce que vous êtes… »

L'homme bomba le torse, passa la main dans sa poche arrière et en tira un portefeuille. Il dégaina en un éclair une sorte d'insigne, qu'il fit passer juste sous le nez de Cook en un geste ample et vif.

« Lieutenant Leaf, expliqua l'homme en remettant son portefeuille dans sa poche. On a reçu un coup de fil. Connaissez-vous cet homme ? C'est un ami à vous ? »

Cook avisa le visage blême de Stiph.

« Il s'appelle Arthur Stiph. C'est un linguiste. Je ne le connais pas vraiment. Je veux dire, je ne le connais pas très bien. » Il regarda le lieutenant, qui en fit de même à son tour d'un air interrogateur. « Je m'appelle Jeremy Cook, et… c'est mon bureau, s'empressa-t-il de rajouter.

– Ah, fit Leaf. Êtes-vous au courant de quoi que ce soit ?

– Non. Je viens d'arriver. Je ne me suis pas réveillé ce matin et je…

– Vous ne savez pas comment il est arrivé ici, ni comment il est mort ?

– Non. C'est juste que je…

– D'accord, fit Leaf. J'aimerais rester un peu ici. Seul. Et j'aimerais que vous restiez dans les parages. Pas ici, mais pas loin. J'ai envie de discuter un peu plus avec vous, monsieur… monsieur Crook[1], c'est ça ? *Har, har, har…*

Cook trouva son étrange rire passablement dérangeant.

– Cook.

– Très bien, monsieur Cook. Merci. »

Leaf s'approcha du cadavre et se pencha au-dessus, le visage à hauteur de la mine paisible de Stiph, puis Cook sortit de son propre bureau, les observant tous deux – l'un mince, hâve et mort, l'autre rondouillard et pétulant. C'est seulement alors que Cook réalisa

1. « Crook » en anglais signifie « escroc ». *(N.d.T.)*

54

pleinement qu'Arthur Stiph était mort. Ses yeux se remplirent de larmes, et sa gorge se serra. Il joua à nouveau des coudes pour s'extraire des curieux qui se pressaient dans le couloir, passant devant une masse indistincte de visages interrogateurs et soucieux, jusqu'à sortir enfin de la cohue. Là, il trouva Woeps qui l'attendait.

« Que se passe-t-il, Jeremy ?

Cook soupira.

– Un inspecteur de la police vient d'arriver, il est en train de fureter. Allons marcher, Ed. Éloignons-nous. »

Ils se rendirent à l'ascenseur, discutèrent tandis que défilaient les étages jusqu'au rez-de-chaussée, puis sortirent par la porte principale pour gagner la pelouse devant le bâtiment. Cook avança d'un pas lourd, se rappelant que c'était un des lieux de sieste préférés d'Arthur. Ils s'assirent sur un petit banc, face à la rivière. Woeps résuma les événements du matin. Il expliqua qu'il travaillait à sa table quand il avait entendu par sa porte entrouverte quelqu'un entrer dans le bureau de Cook, et qu'il avait naturellement pensé qu'il s'agissait de Cook lui-même. Mais au lieu du grognement qui accompagnait si souvent l'arrivée de ce dernier sur son lieu de travail, il avait entendu un hurlement qui, le faisant sursauter, avait fait déraper son stylo sur toute la page. Dans le couloir, il avait trouvé Mary, tremblant comme une feuille. Il s'était approché pour la calmer mais, sous le choc, Mary lui avait involontairement décoché un coup de coude qui l'avait fait se mordre douloureusement la langue. (Il montra à Cook la marque ; elle était impressionnante.) Puis, il avait vu Stiph à son tour. Il avait examiné le corps et avait tâché d'en tâter le pouls – se sentant stupide, dit-il, car il cherchait des signes vitaux sur un poignet déjà raidi par la mort. Il avait ensuite conduit Mary jusqu'au canapé de la salle du personnel et avait appelé la police.

« Tu as remarqué sa tête ? demanda Cook.

– Oui. »

Woeps regarda droit devant lui pendant un moment.

« Du coup c'est tout son corps qui paraissait bizarre. Comme… surpris. » Il se tourna vers Cook. « Tu disais quelque chose à propos d'hier soir, Jeremy. Que s'est-il passé ?

Cook soupira.

– Oui. Hier soir. »

Il expliqua ce qu'il avait entendu et ce qu'il avait fait, restitua les événements de la veille avec force détails – autant pour lui, d'ailleurs, que pour Woeps.

« Donc, j'ai laissé la porte grande ouverte et la lumière allumée… »

Il s'interrompit.

« Ce qui suggère… ma foi… deux possibilités, me semble-t-il.

– L'une des deux, enchaîna Woeps, est qu'Arthur faisait une petite balade nocturne, qu'il a vu de la lumière et a décidé de jeter un œil. Ou de piquer un roupillon.

– Après s'être rasé la tête, ajouta Cook.

– Ah, oui. Il y a ça.

– Ce que je pense, dit Cook, c'est qu'un enfoiré lui est rentré dedans avec sa voiture, l'a tué et a pensé que ce serait une bonne idée de venir planquer le corps dans mon bureau.

– Après lui avoir rasé la tête, fit remarquer Woeps.

– Ah, oui. Encore ça…

– Cet aspect-là me chagrine, Jeremy. Ça suggère une certaine folie.

Woeps secoua la tête.

– Il était tellement inoffensif, tellement bienveillant, dit Cook. Jamais un mot méchant pour qui que ce soit. Les puéricultrices l'adoraient. Une des nanas là-haut pleurait comme une madeleine. Je l'ai entendue depuis le bureau, quand j'observais le corps.

– Oui, je l'ai entendue aussi. »

Les deux hommes restèrent un moment assis à contempler la rivière boueuse en contrebas. Les pluies de printemps avaient fait monter le niveau de l'eau, et elle s'écoulait bruyamment. Cook se releva en poussant un soupir.

« L'enquêteur voulait me parler.

– Le gros avec les taches de rousseur ?

– Ouais. Un drôle de type. »

Un autre drôle de type vint à leur rencontre au moment où ils arrivèrent à l'entrée du bâtiment. C'était Aaskhugh, qui apparemment n'arrivait au boulot qu'à cette heure-ci. Il avait l'air fringant dans son costume en coton gaufré, et sifflotait, comme s'il fêtait quelque chose.

« Bonjour, Jay. Bonjour, Daisy. Bonjour à vous deux. Qu'est-ce qui se trame ? »

Woeps se tourna vers Cook, lui laissant la parole. Après tout, c'était dans son bureau que le corps avait été retrouvé. En outre, Woeps ne parlait pas beaucoup avec Aaskhugh. Le regard de Cook se durcit tandis qu'il préparait sa réponse.

« Personnellement, Adam, je pense qu'une tempête se prépare. L'air est terriblement lourd depuis plusieurs jours. Vous êtes-vous déjà interrogé sur l'inexactitude des bulletins météo dans le Midwest ? Savez-vous pourquoi ils sont comme ça ?

Cook nota que Woeps le regardait fixement, les sourcils froncés, étonné par l'ineptie de ses propos.

– Non, Jeremy, dit Aaskhugh hésitant un peu, tout en lançant des regards nerveux autour de lui.

– Moi non plus, Adam. Moi non plus. D'autre part, Arthur Stiph a été retrouvé mort dans mon bureau ce matin. Fraîchement tonsuré, qui plus est. »

Certes Aaskhugh parut surpris, mais probablement moins par la mort de Stiph que par le fait que Cook, après des années de stériles interrogatoires, lui livrait enfin des informations de quelque importance. Il voulut en savoir plus, faisant preuve d'une curiosité folle pour les détails, et demanda s'il était envisageable d'identifier les personnes pouvant être raisonnablement considérées comme res-ponsables. Tout ceci était pain bénit pour Aaskhugh, et ses questions jaillissaient littéralement de sa bouche.

Woeps donna un coup de coude à Cook.

« Voici les ambulanciers, Jeremy. »

Cook observa deux hommes en blouse blanche qui poussaient un brancard sur le trottoir et franchissaient les portes. Trois policiers les accompagnaient.

« Je me demande ce que l'autopsie va révéler », marmonna Cook pour lui seul.

Aaskhugh l'entendit.

« Avez-vous quelque raison de penser qu'elle révélera quoi que ce soit d'inhabituel ? »

Cook répondit que non, mais son ton suggérait délibérément qu'il en savait plus que les autres.

« J'aimerais voir ces traces de pneus, Jeremy, dit Woeps avec un manque de discrétion qui donna à Cook envie de lui hurler dessus.

– Quelles traces de pneus ? demanda Aaskhugh, toujours à l'affût.

Celles du fond de ton slip, eut très envie de répondre Cook.

– Je vous expliquerai plus tard, Adam », répondit-il. Ce qui fut son premier mensonge de la journée.

Ils entrèrent tous trois dans l'institut. Comme ils attendaient l'ascenseur, Aaskhugh se dandina d'avant en arrière sur ses talons, tout en faisant claquer sa langue. Il finit par parler.

« Stiph était un étrange bonhomme. Il a bossé dur avant d'arriver ici, et ensuite il a décliné petit à petit. Pendant l'année qu'il a passée ici, j'ai trouvé son travail plus qu'ordinaire. Mais je ne l'ai jamais dit… en tout cas jamais à lui. Mais désormais ces choses-là doivent être révélées. »

Le devaient-elles vraiment ? songea Cook.

« Il pionçait beaucoup, pas vrai ? poursuivit Aaskhugh. Je n'ai jamais vraiment compris ça. Cela étant, c'est triste qu'il nous ait quittés. Mais c'est peut-être mieux ainsi. »

Ils montèrent dans l'ascenseur. Cook voulut dire quelque chose, mais la stupidité d'Aaskhugh le laissait sans voix. Woeps lui aussi demeura silencieux tandis que l'ascenseur grimpait, et qu'Aaskhugh continuait de se balancer, absorbé dans sa réflexion.

« Je pense que je vais aller jeter un petit coup d'œil », fit Aaskhugh en sortant de l'ascenseur au sixième étage, avant de se précipiter dans le couloir.

« Quel connard ! siffla Woeps. Non mais, quel connard !

– Cela fait des années que je te le dis, Ed. Il nous a offert une bien belle élégie du défunt, n'est-ce pas ? Bon. Allons boire un café. »

Ils ouvrirent la porte donnant sur l'espace central et s'engagèrent dans le couloir. Le petit réfectoire grouillait de linguistes et de puéricultrices ; quelques parents étaient également présents. Milke et Orffmann s'entretenaient avec une jeune maman qui semblait bouleversée. Un caprice du destin voulut que Paula soit là aussi, à nouveau devant la machine à café. Cette fois-ci, elle discutait avec Wach. Cook nota qu'elle avait les yeux gonflés et rougis. Puis il se rendit compte que c'était le cas de nombreuses autres auxiliaires. Paula se détourna de Wach et vint à la rencontre de Cook et Woeps, mais passa devant eux et disparut dans le couloir sans leur accorder la moindre attention. Wach fit signe à Cook de le rejoindre, et celui-ci se demanda ce que son patron allait lui dire.

« C'est un triste jour pour Wabash », dit Wach.

C'était certes une déclaration un peu lugubre et un peu trop banale au goût de Cook, mais cela laissa néanmoins supposer qu'au moins un peu de sang chaud coulait dans les veines de cet homme. Après tout, il n'avait pas engagé la conversation en demandant à Cook pourquoi il avait rendu son dossier en retard.

« Arthur Stiph va manquer à l'institut. Il va nous manquer à tous. »

Il jeta des regards alentour, en quête de soutien.

« Savez-vous quoi que ce soit sur cette histoire, Jeremy ?

– Non.

En répondant cela, Cook se rendit compte qu'en fait, il savait quelque chose, aussi confia-t-il à Wach ce qu'il avait dit à Woeps.

– Mais vous n'avez rien vu ?

– Non.

– Dommage, dit Wach en se raclant la gorge. Je ferais bien d'y retourner. Je veux que la police quitte les lieux au plus vite. Outre le fait qu'il s'agit là d'une véritable tragédie, cette affaire pourrait s'avérer embarrassante pour Wabash. Très embarrassante. »

Comme Wach s'éloignait d'un pas pressé, Cook remarqua

une silhouette allongée sur un canapé, dans le coin. C'était Mary-la-secrétaire, qui se remettait de sa rencontre avec la Faucheuse. Cook hésita un moment, puis s'approcha du canapé pour la consoler.

« Ça va, Mary ? », demanda-t-il.

Elle était allongée sur le dos, un bras rabattu sur son visage pour se protéger les yeux. Entendant la voix de Cook, elle écarta son bras et ouvrit les yeux. La seconde action parut découler de la première. Cook pensa à une poupée articulée à laquelle on fait adopter des positions saugrenues.

« Vous ! dit-elle, hurlant presque, ce qui le fit sursauter. Elle releva la tête : Vous saviez qu'il était à l'intérieur. Vous m'y avez envoyée pour me torturer. Vous le *saviez*.

– Ne soyez pas ridicule, Mary, protesta doucement Cook. Je n'avais pas la moindre idée que…

– Vous le saviez, espèce d'enculé ! », s'écria-t-elle, provoquant l'interruption immédiate de toutes les conversations. Les têtes se tournèrent. « Espèce d'enculé ! Vous n'êtes rien qu'un gros enculé, professeur Cook ! »

Elle articula l'insulte avec soin, comme si elle n'était pas habituée à la prononcer.

Cook laissa Woeps le tirer par la manche, content que son ami prenne cette initiative et l'écarte de cette folle en furie. Il adressa un sourire gêné aux visages qui défilèrent en un travelling flou. Au même instant, il perçut des pleurs provenant de la salle des jeux. Les nourrissons et les enfants pleuraient bien plus que d'habitude, comme s'ils sentaient ce qui se passait et donnaient voix au chagrin flottant dans le bâtiment. Il entendit aussi les douces paroles des auxiliaires, tâchant vainement de les calmer. Il commença étrangement à se sentir responsable de tout cela. C'était presque comme si les accusations de Mary étaient justifiées. Il secoua la tête en repensant à ce qui venait de lui traverser l'esprit. C'était insensé.

Le brancard sur lequel se trouvait le corps drapé d'Arthur Stiph passa devant lui, poussé par deux jeunes hommes rasés de près, qui ne dégageaient strictement aucune odeur.

« Allons dans mon bureau, Jeremy, dit Woeps. On y sera tranquilles. »

Chemin faisant, ils furent stoppés par un policier en uniforme, qui finit par les laisser passer quand Woeps lui expliqua qu'ils allaient dans son bureau à lui et non pas dans celui de Cook. Passant devant, Cook jeta un œil par la porte et vit plusieurs hommes, parmi lesquels le lieutenant Leaf, qui semblait être en train de se renifler les doigts.

Leaf aperçut Cook et lança : « Professeur Cook ! Vous vous rappelez cette petite discussion que nous devions avoir ? Je souhaiterais que nous l'ayons maintenant. »

Cook s'arrêta et recula de deux pas.

« Où pouvons-nous parler ? demanda Leaf qui s'approchait de lui tout en s'essuyant les mains avec un mouchoir.

– Vous pouvez prendre mon bureau, proposa Woeps. C'est la porte à côté.

– Ah, fit Leaf avec un grand sourire, reportant toute son attention sur Woeps. C'est très aimable à vous.

Vous y avez déjà mis les pieds depuis ce matin, monsieur ?

– Oui, mais je n'ai rien remarqué d'inhabituel. Enfin, en est-on sûr ?

– "Tonsure" ! *Har, har, har...* Donc, vous étiez dans votre bureau avant que l'on ne découvre le défunt ce matin ?

– Avant et pendant. J'ai entendu la secrétaire hurler, je suis sorti précipitamment et j'ai vu Arthur assis là, à la place de Jeremy. J'ai tâté son pouls et j'ai appelé la police.

– Ah ? Oui. Je souhaiterais discuter avec vous un peu plus tard monsieur...

– Woeps. Ed Woeps.

– Monsieur Woeps. Ou faut-il dire professeur Woeps ? Je ne sais jamais...

– Cela n'a pas d'importance.

Leaf fronça les sourcils.

– Très bien. La secrétaire aussi. Je souhaiterais lui parler.

– Vous pourrez me trouver dans la salle du personnel. Et elle devrait également y être. » Woeps ouvrit sa porte aux deux hommes, puis il se tourna vers Cook. « Nous nous verrons plus tard, Jeremy. Fais comme chez toi et détends-toi. »

Cook hocha la tête.

Le lieutenant Leaf fit signe à Cook d'entrer. Celui-ci obtempéra, un peu nerveux, et s'installa dans le siège de Woeps. Le bureau était jonché d'ordonnances et de formulaires hospitaliers pour les assurances.

Leaf prit appui sur la porte, les bras croisés sur son torse massif. Il observait Cook.

« Bien. Commençons par le commencement. »

Un peu plus tard, un Cook fatigué et las conduisit l'enquêteur dans le couloir qui grouillait de policiers, de linguistes et de puéricultrices, et croisa un tout-petit qui se faisait la malle. Une des auxiliaires attrapa l'enfant au vol et le ramena dans la salle de sport. Cook précéda Leaf dans l'escalier que, la veille au soir, il avait dévalé en toute hâte, puis dans le couloir menant à la sortie située à l'arrière du bâtiment, celle qui donnait sur la route. Ils allaient observer les traces de pneus, dont la présence avait suscité un grand intérêt chez Leaf lorsque Cook y avait fait allusion dans son récit. Cependant, l'enquêteur s'était gardé de préciser la raison d'un tel intérêt.

Cook tint la porte pour Leaf, tâchant de se montrer obligeant à tous points de vue. Leaf le remercia d'un grognement. Une forte odeur de goudron accueillit les deux hommes. Cook entendit un rot bruyant en provenance des bas-côtés de la route, où plusieurs employés des services de voirie du comté étaient étendus sur l'herbe et déjeunaient. D'une étrange machine, qui ressemblait à une caravane miniature stationnée sur l'accotement, s'élevait une mince volute de fumée noire qui polluait l'air. Le bitume était sens dessous dessus. Des marteaux-piqueurs – Cook se souvint soudain de les avoir entendus lorsqu'il s'était penché au-dessus du corps de Stiph, et aussi quand lui et Woeps s'étaient assis pour discuter un peu plus loin, au coin du bâtiment, et encore une fois quand Leaf l'avait cuisiné dans le bureau de Woeps.

Leaf se tourna vers Cook après avoir observé ce qui se passait en contrebas. « C'est ça, la route ? », demanda-t-il.

Cook hocha la tête.

« Les traces de pneus étaient sur la portion en travaux ? »

Cook hocha de nouveau la tête, en se mordant la lèvre.

« Les traces de pneus se trouvent maintenant dans ces deux camions bennes, là-bas ? Ce ne sont plus que des miettes de bitume ?

– J'en ai peur, lieutenant.

– Monsieur Cook… fit l'enquêteur en levant les mains tendues devant lui, présentant la scène en contrebas, pour que Cook la prenne en considération. Monsieur Cook, c'est très emmerdant.

Cook regarda Leaf.

– Lieutenant, vous croyez ce que je vous ai dit, n'est-ce pas ? »

Leaf éclata de rire – un gloussement bref, impatient cette fois-ci, loin de son gros rire coutumier. « Monsieur Cook, épargnez-moi vos craintes égoïstes. Je crois tout jusqu'à tomber sur des éléments qui me forcent à réviser mon jugement. Ce qui n'est pas encore arrivé. » Il observa les travailleurs, puis fourra ses mains dans ses poches et donna un coup de pied dans un morceau de goudron sec. « Je déteste les coïncidences », dit-il avec amertume.

« Si c'en est bien une, suggéra Cook.

– Comme le fait que vous ne vous soyez pas réveillé à l'heure, enchaîna Leaf.

Cook fit la moue.

– J'imagine, oui. Mais qui n'est pas sans rapport. En un sens, je ne me suis pas réveillé à cause du dérapage comme je l'ai expliqué tout à l'heure.

– Dérapage que, coïncidence, vous avez entendu parce que, coïncidence, vous travailliez tard dans votre bureau et que, coïncidence, votre fenêtre était ouverte.

Ça vous arrive souvent de travailler tard le soir au bureau ?

– Une ou deux fois par mois, répondit Cook en toute honnêteté.

– Je suis content de ne pas être statisticien, fit Leaf. Si je l'étais, je vous coffrerais pour cause d'improbabilité.

Offusque-toi, se dit Cook, tâchant de rassembler ses pensées. *Offusque-toi. Tu as le droit.*

– Attendez un peu, lieutenant, dit-il vivement. Vous n'êtes pas légalement en position de proférer ce genre de menace.

– Cook, dit Leaf, dont la masse parut soudain plus imposante. Ne me décevez pas. Je passe bien trop de temps avec la lie du comté de Kinsey, qui ne manque pas d'attardés, croyez-moi. Ces types de l'Indiana, ces bouseux, comptent plus de cinglés que vous ne pouvez l'imaginer. Mais vous êtes probablement un homme intelligent. En tout cas, moi, je le suis, c'est certain. Tâchons de trouver un terrain d'entente en partant sur cette base, et comme ça, nous garderons le beurre pour les pommes de terre. Je suis un flic qui veut découvrir qui a tué le type là-haut. Si ce n'est pas vous, alors vous pouvez m'aider à trouver qui c'est. Quoi qu'il arrive, ne faites pas semblant d'être idiot, voire ordinaire et, je vous en conjure, n'essayez pas de me prendre de haut en tant que civil. En échange, je mettrai un point d'honneur à n'être ni idiot ni ordinaire, et à ne pas vous prendre de haut en tant qu'officier de police. Me suis-je bien fait comprendre ?

Cook hésita un instant.

– Tout à fait, lieutenant. J'apprécie votre… votre…

– Bien, rétorqua Leaf sèchement.

Cook se racla la gorge.

– Vous pensez donc que quelqu'un l'a tué ?

Leaf sourit.

– Mon examen préliminaire montre que l'homme a reçu un coup si violent à l'arrière du crâne qu'il n'a pu se l'infliger que (*a*), en tombant d'une certaine hauteur et en atterrissant en plein sur la tête, ou (*b*) en courant à reculons tout droit dans un mur de briques à une vitesse de, disons… trente-cinq kilomètres à l'heure.

– Les deux étant plutôt improbables, compte tenu de sa présence dans mon bureau, fit Cook, souhaitant assurer l'inspecteur de sa totale collaboration.

– Exact, fit Leaf en souriant légèrement. Exact.

– Lieutenant, si quelqu'un a effectivement tué Stiph, et s'il l'a tué là-bas en le percutant au volant de sa voiture, pourquoi le corps n'a-t-il pas été abîmé ? Et pourquoi sa tête a-t-elle été rasée ?

– Je l'ignore, répondit Leaf songeur, mais voici une première approximation. Lorsque les gens… » Il s'interrompit et regarda Cook de près. « Qu'est-ce qui vous fait sourire ? »

Cook leva la main, comme s'il se défendait et s'excusait tout à la fois : « Navré. Mais "en première approximation", c'est une phrase qu'on utilise souvent ici, lorsqu'un linguiste formule une hypothèse qui mérite d'être ultérieurement affinée.

– Ma foi… fit Leaf, manifestement plus ravi que Cook ne l'aurait cru. Comme je le disais, lorsque les gens se font percuter par une voiture, la blessure principale est souvent le résultat d'un choc secondaire, l'impact sur la chaussée, contre un arbre, ou contre une autre voiture. Très souvent, et ceci répond à votre question concernant les cheveux, ou du moins tente de le faire, très souvent donc, le corps est propulsé en l'air, le centre de gravité étant situé au-dessus du pare-chocs dans le cas d'un corps d'adulte aux mensurations…

– Excusez-moi, lieutenant », l'interrompit Cook en entendant que quelqu'un s'évertuait à capter l'attention de l'inspecteur depuis le bâtiment, derrière eux.

Leaf se retourna. Un policier en uniforme lui tenait la porte ouverte. « La femme, là-haut, lieutenant, celle qui a trouvé le corps… elle nous cause quelques soucis. Elle dit qu'elle veut rentrer chez elle, et que la personne qui veut lui poser des questions ferait bien de ne pas tarder. C'est ce qu'elle a dit. Stolewicz a bien essayé de la calmer, mais elle l'a giflé, et…

– Je monte tout de suite », dit Leaf. Il cracha à voix basse un chapelet de jurons, puis se tourna vers Cook. « Vous pourrez passer à mon bureau plus tard dans l'après-midi ? Sur le coup de seize heures ? C'est au sous-sol de l'hôtel de ville. J'aimerais avoir un compte rendu plus détaillé de ce qui s'est passé hier soir, les horaires, les traces de pneus, tout ça. Tâchez de réfléchir à ce qui pourrait nous aider. »

Il se dirigea vers la porte.

« Les suspects, aussi ? », lança Cook.

Leaf se retourna. « Fichtre, bien sûr, dit-il sur un ton bourru. Je veux attraper ce type et l'embrocher. »

Cook demeura un moment dehors, adossé au bâtiment, à fixer la route désormais vierge de tout indice. Il se demanda ce qu'un œil entraîné aurait réellement pu déceler dans les traces de pneus. Il mit la question de côté, il la poserait à Leaf lors de leur prochaine rencontre. Des suspects… Le corps dans le bureau… La clé de la porte du bureau ? Non, elle n'était pas fermée, elle était même grande ouverte. Celle du bâtiment ? Oui. C'était toujours fermé à double tour à cette heure-là. Il se rendit compte avec désarroi qu'il y avait de fortes chances que le tueur soit l'un des linguistes de l'institut. Aucune des nounous n'avait les clés du bâtiment, et Mary-la-secrétaire non plus. Cook, Woeps, Wach, Aaskhugh, Orffmann et Mademoiselle Pristam. Cette dernière était en voyage depuis maintenant un mois, et serait encore absente pendant encore deux mois. Et, à moins d'être schizophrène, lui, Cook, n'était pas suspect.

Woeps. Wach. Aaskhugh. Milke. Orffmann. Voilà qui allait sérieusement compliquer la vie quotidienne à Wabash.

Il observa la route en contrebas. Un des ouvriers avait chipé une orange dans la glacière d'un autre, et ils étaient plusieurs à se la passer pour ne pas que leur collègue la récupère. Le vent se leva et le ciel s'assombrit. Les ouvriers rassemblèrent leurs affaires et se précipitèrent à l'abri, quand la lourde averse qui s'annonçait depuis si longtemps mit enfin sa menace à exécution. Cook resta tout près du bâtiment, au sec, et regarda la pluie tomber.

Chapitre quatre

« Allô ?

– Allô », fit Cook au téléphone d'une voix travestie. Il espérait se faire passer pour un petit gars futé au débit rapide, l'archétype du journaliste des films américains des années trente et quarante. La voix haut perchée, comme Dan Duryea, avec un peu de l'acteur à la face de chouette de *Citizen Kane*. Grâce à sa pratique de la phonétique, ces imitations lui venaient facilement. « Vous êtes bien mademoiselle Dorothy Plough ?

– Oui, c'est moi.

– Philpot à l'appareil, Dorothy. Henry Philpot. » Cook avait préparé son texte à l'avance, afin de le réciter avec le plus d'assurance possible. « Je ne vous ai pas tirée du lit, si ?

– Non, pas du tout. Je viens juste de terminer mon petit-déjeuner. Comment m'avez-vous dit que vous vous…

– Philpot, c'est mon blaze. Journaliste, c'est mon job. Je travaille actuellement à un petit article à propos d'une gentille crèche, au bout de la route, on l'appelle l'institut Wabash, mais c'est plutôt le Paradis du bébé. Vous m'avez peut-être vu traîner dans les couloirs.

– Ah, oui, j'ai entendu parler de vous. D'ailleurs…

– Nous sommes-nous rencontrés ? », demanda nerveusement Cook, sentant son personnage lui échapper tandis qu'il s'éloignait de son texte. « J'en ai tant rencontré, là-bas, de jolies filles, que je m'y perds un peu.

– Non, nous ne nous sommes pas croisés. Mais…

– Bien. Enfin, je veux dire, c'est bien de pouvoir vous parler, Dorothy. » Il se mordit la lèvre et poursuivit sans attendre. « Si je vous appelle, c'est que j'aime être en contact avec les gens qui font tourner la baraque à laquelle je m'intéresse, histoire de bien prendre la température, vous voyez ce que je veux dire ?

– Oui, répondit-elle d'un ton hésitant. Je crois.

– Je fais ça par téléphone, dit-il. Le téléphone est l'outil parfait pour le journaliste d'investigation, vous savez. Quelqu'un a dit ça une fois, sacré vieux Machin-Truc. Ha ! J'aimerais recueillir certaines de vos impressions sur Wabash, le travail, les mômes, les gens là-bas. Franco, sans chichis. Comme ça, au débotté. Par exemple, le gars Cook, là, qu'est-ce que vous en dites ?

– Le professeur Cook ?

– Oui. Ce gars-là. »

Il nota l'instant de silence, puis le soupir. Chacun de ses muscles se tendit, il était tout ouïe. Ses yeux n'auraient pu être plus écarquillés.

– Je ne sais pas trop…

– Oui, mais encore ?

– Je ne vois pas trop ce que vous voulez me faire dire. Ce que je pense de lui ?

– Oui. Exactement.

– Je pense qu'il a un beau cul ! », dit-elle dans un éclat de rire.

Cook s'étrangla et toussa, submergé par la gêne.

« Non, je plaisante, c'est quelqu'un d'épatant. C'est un homme tout simplement formidable. Sympathique, plein d'énergie, dévoué à son travail. Il fait tourner la baraque, comme vous dites. Et il ne snobe jamais personne, contrairement à d'autres. Tous les gens que je connais à Wabash l'apprécient énormément. »

L'apprécient ? L'apprécient ?

« Par contre, le professeur Orffmann, c'est une autre paire de manches. »

Et tandis qu'elle taillait un costard à l'autre paire de manches, Cook réprima sa déception. Il cherchait la confirmation de son intuition, et voilà que Dorothy Plough, la principale suspecte de sa liste sur la base d'un ricanement qu'il croyait avoir entendu, balayait ses certitudes, et, de fait, semblait à mille années-lumière de songer qu'il puisse être ne serait-ce qu'un tout petit trou-du-cul.

« ... et le professeur Milke, malgré son côté charmeur, est un peu assommant, des fois... »

Cook n'écoutait plus que d'une oreille. Il se fichait de ces gens. Il avait eu sa réponse, mais n'en était pas plus avancé. Que faire maintenant ? Il ne pouvait décemment pas appeler la quinzaine de puéricultrices en se faisant passer pour Philpot afin d'en avoir le cœur net. Et son autre plan, qui consistait à questionner directement Paula à ce sujet ne semblait guère plus judicieux. C'était d'ailleurs son manque de confiance en cette seconde stratégie, au petit-déjeuner, qui l'avait poussé à passer ce coup de fil à Dorothy au préalable. Paula ne lui adresserait probablement même pas la parole, du moins pas poliment. Et puis elle était si belle. Plantureuse, comme on disait naguère. Pourquoi ce terme était-il sorti de notre langage courant ? Il serra le poing avec colère.

« ... et le professeur Aaskhugh est juste un crétin *absolu...* »

Il n'en tirerait rien de plus. Il était condamné à errer dans les couloirs de Wabash comme un crétin, une pancarte PARFAIT TROU-DU-CUL collée dans le dos, sans savoir qui la lui avait accrochée. Non sans impatience, il interrompit Dorothy et dit qu'il avait un appel urgent à passer. Craignant d'avoir été un peu abrupt, il ajouta quelques mots de remerciements.

« Avant que vous ne raccrochiez, s'empressa-t-elle de rajouter, je voulais vous dire que le professeur Wach vous cherchait. Ça fait deux jours que vous n'êtes pas passé à Wabash, n'est-ce pas ? »

Il fallut un moment à Cook pour réaliser que c'était bien Philpot que Wach cherchait, et non pas lui.

– Eh bien, non, effectivement. J'étais assez occupé… au motel.

Elle éclata de rire.

– Ce doit être un sacré motel.

Cook ricana nerveusement. Comment aurait-il pu savoir où était Philpot ? Il en avait marre qu'on lui pose la question.

– Dites-lui que je passerai plus tard dans la journée. Après l'enterrement de Stiph. Et merci encore pour votre aide. J'y vois plus clair, désormais.

– À votre service, Phil. »

Et il raccrocha en se demandant si Philpot allait effectivement se rendre à l'enterrement. Il espérait que cet appel n'allait pas lui créer d'ennuis. Il éprouva une pointe de culpabilité. Le reporter approximatif qu'il avait tenté d'incarner n'avait rien à voir avec Philpot, les manières de ce dernier étaient plutôt délicates. Il consulta sa montre, alla dans la chambre, et, après avoir fouillé dans les recoins sombres de son armoire, exhuma un costume noir uni, sévèrement passé à la fois de mode et de saison. Il s'étonna de posséder un tel accoutrement et, après l'avoir enfilé, plus encore de constater qu'il lui allait toujours.

Arthur Stiph aurait été ravi. Il était prévu que le doyen des linguistes de Wabash serait mis en terre dans une heure, et Cook avait décidé, à l'issue d'un long débat intérieur, que oui, il serait convenable qu'il soit présent. Il lui avait fallu un certain temps pour se persuader que c'était ce qu'il y avait de mieux à faire. Après tout, il n'avait jamais été proche de Stiph, et il avait toujours jugé de mauvais goût que des gens éloignés du défunt s'incrustent dans les cérémonies habituellement réservées à la famille et aux amis. D'autre part, son nom était désormais associé au décès de Stiph, et ce d'une manière des plus embarrassantes. Depuis mercredi, il avait été interrogé un nombre incalculable de fois. À chaque fois, il avait livré de la manière la plus exhaustive possible un compte rendu des événements du mardi soir et s'était prudemment refusé à toute spéculation – ou à toute « extrapolation », pour reprendre un terme employé par un journaliste maigrichon – lorsqu'il y avait été invité. Mais Cook avait eu beau faire preuve de professionnalisme, le corps avait bel et bien été retrouvé dans son bureau. Il était devenu une sorte de suspect aux yeux du public, ou du moins « un individu lié au crime », ou quelque chose de ce goût-là. Quels que soient les mots choisis, cela ne lui plaisait pas.

En dépit de cette brillante plaidoirie, Cook avait décidé d'assister à l'enterrement. Il avait quelques bonnes raisons d'y aller, bien sûr. Le corps de Stiph avait été découvert deux jours plus tôt, et cela faisait maintenant deux jours que Cook n'était pas sorti de son domicile. Il avait appelé pour dire qu'il était malade et restait chez lui, où il avait un peu travaillé et effectué quelques travaux domestiques. Il lui semblait judicieux de se tenir quelques jours à l'écart de Wabash. À l'écart de son bureau, de sa table de travail et de son siège. Il paraissait étrangement logique de revenir parmi les vivants à l'occasion de l'enterrement de Stiph. Il y avait quelque chose de cohérent et de naturel à procéder ainsi. En outre, il souhaitait vraiment avoir un ultime tête-à-tête avec Arthur, et c'était une raison suffisante pour s'y rendre.

Ses petites vacances à la maison avaient été salutaires et constructives. Il n'avait pas trop bu, par exemple. Il avait également tondu le gazon, repeint la rambarde de la véranda de derrière, et commencé à biner son petit jardin. Mais il avait tenu à ne pas laver sa voiture. Il aurait été difficile de répondre aux passants qui auraient demandé, fût-ce en plaisantant, s'il avait bien enlevé tout le sang. Une telle question n'était d'ailleurs pas à exclure. Les traces de pneus, en dépit de leur brève existence, étaient connues de tous. Stiph avait été renversé par une voiture. C'était l'avis de Leaf, ainsi que Cook l'avait appris le mercredi après-midi, lorsqu'il avait revu l'enquêteur ; c'était également l'avis du médecin légiste, comme Cook avait pu le découvrir au journal télévisé ce mercredi soir, tressaillant à chaque fois que son nom avait été prononcé. Cet après-midi-là, Leaf avait enfin mené à son terme le raisonnement commencé plus tôt dans la journée, à savoir que le corps d'un être humain normal, ayant un centre de gravité situé en gros au niveau de la taille et percuté par un pare-chocs automobile, est souvent projeté en l'air, ce qui entraîne un choc brutal de la tête contre le capot à proximité du pare-brise, voire contre le pare-brise proprement dit. Stiph avait probablement été heurté à la tête par un véhicule, et Leaf avait déclaré à Cook : « Montrez-moi une voiture cabossée et vous aurez l'arme du crime. » (Ce ne fut pas une coïncidence si l'inspecteur accompagna Cook sur le parking à côté du poste de police pour jeter un petit coup d'œil à sa vieille Valiant. Leaf ne trouva rien de compromettant, mais fit néanmoins remarquer que ce n'était pas un véhicule digne d'un universitaire distingué tel que Cook.)

La tête de Stiph avait été rasée, présuma Leaf, afin qu'aucune trace de peinture collée aux cheveux ne puisse conduire un enquêteur perspicace (tel que lui-même, ajouta-t-il) au véhicule du meurtrier. « Nous avons affaire à un gars malin, lui confia Leaf. Il a pensé à tout le *binz*. » Cook, abasourdi par la façon dont Leaf encensait régulièrement ses propres talents d'enquêteur, en conclut que cela signifiait que le tueur avait envisagé toutes les éventualités. Et pourtant il y avait bien, sur la personne de Stiph, des traces de voiture que le conducteur n'avait pas vues : un soupçon de chrome sur l'une des jambes de son pantalon et un éclat de caoutchouc d'essuie-glace incrusté dans l'oreille gauche. Pas des masses, mais un petit quelque chose.

Le tueur avait aussi laissé dans le bureau de Cook une preuve de son passage – là encore rien d'exceptionnel. Une petite flaque par terre, un mélange de bourbon et de glace à la vanille. Ce fait, rapporté froidement aux informations du soir, avait dû déconcerter toute la population de Kinsey à l'exception de Cook et de la police, car le lieutenant Leaf avait informé le linguiste de ce point précis l'après-midi précédent. Et sans mâcher ses mots.

« Nous pensons que le gars a vomi dans votre bureau, annonça-t-il. À cause du stress, de l'anxiété, du dégoût d'avoir eu à traîner le cadavre... difficile à dire. »

Lorsque Cook demanda si c'était une piste sérieuse, Leaf haussa les épaules.

« La glace, c'est de la glace, dit-il. Je veux bien qu'on m'encule si j'arrive à en tirer quoi que ce soit. »

Cook hocha la tête avec gêne, sceptique quant à la portée sémantique de cette apodose impérative.

Leaf conclut par un dernier point, au moment où Cook quittait le poste de police : quelqu'un était entré à Wabash par effraction. Cook se fendit d'un sourire franc en entendant la nouvelle, laquelle obscurcissait certes l'affaire, mais innocentait – ou en tout cas promettait d'innocenter – ses collègues. Il n'y avait aucune raison d'entrer par effraction dans un bâtiment dont on avait la clé. Mais le cœur de Cook se serra lorsque Leaf lui fit part de son « inquiétude concernant la nature de l'effraction » – une fenêtre cassée au sous-sol – selon Leaf, un truc « clochait », il avait « un drôle de pressentiment », manifestement, quelque chose « n'allait pas ». Ces remarques ne furent assorties d'aucune explication, si bien que Cook quitta le bureau du lieutenant en prise lui aussi à un « drôle de sentiment » concernant tout ce qui avait trait à cette affaire – autrement dit « tout le binz ».

Cook s'avança vers le miroir et lissa sa cravate. Pas mal, ce costume sombre, se dit-il. Mais pas parfait non plus. Chaud, en plus ; or, il allait faire très lourd aujourd'hui. Il plongea à nouveau dans son armoire en quête d'autres tenues élégantes. Il en trouva, certes, mais aucune n'était de circonstance. Il se résigna au costume sombre et referma sa penderie. Au moins, avec celui-ci, il passerait tout à fait inaperçu et se fondrait dans le décor.

Il regarda l'heure. « Mince ! » Sa montre s'était manifestement arrêtée. Il s'empara de ses clés et de son porte-monnaie, puis se précipita derrière son volant. En arrivant à Kinsey, il slaloma d'une file à l'autre, maudissant les feux rouges. Il espérait que son retard n'allait pas attirer l'attention. Sans qu'il sache trop pourquoi, il lui semblait de fort mauvais goût d'arriver en retard à un enterrement.

Sans couper le contact, il stationna quelques secondes à l'entrée du cimetière et risqua un œil à l'intérieur. Une route étroite franchissait le portail puis grimpait sur une courte distance avant de redescendre doucement dans une plaine parsemée de pierres tombales. Une petite colline empêchait Cook d'apercevoir le moindre signe d'un enterrement en contrebas ; néanmoins, les voitures garées le long de l'étroite route, puis à l'extérieur, à gauche et à droite du portail, au bord de la grand-route, témoignaient vraisemblablement d'une foule assez importante déjà rassemblée pour faire ses adieux à Stiph. Il exécuta une marche arrière sur la grand-route et se gara au bout de l'enfilade de voitures. Puis il revint en trottinant jusqu'au portail et gravit le petit tertre.

Un attroupement conséquent s'était effectivement formé autour d'une tombe, une centaine de mètres plus bas. Cook entama la descente, reconnut d'abord la silhouette prématurément voûtée de Woeps, puis, en s'approchant, l'épais cou d'Orffmann, la barbe et la pipe de Milke, la posture raide comme un piquet de Wach, la longue chevelure de Paula, et les traits distinctifs d'autres employés de Wabash. Quelques têtes se tournèrent à son approche – silhouette solitaire, de noir vêtue, descendant lentement le vert coteau. Puis, à mesure qu'il avançait, d'autres regards se posèrent sur lui. Il continua d'un pas résolu, maudissant sa mauvaise fortune. Ceux qui n'avaient pas encore remarqué Cook – tous ceux qui lui tournaient complètement le dos – levèrent soudain la tête. Et comme un seul homme, tous regardèrent fixement dans sa direction. Ce qui avait attiré leur attention, c'était la musique lugubre d'une sonnerie aux morts jouée par un clairon perché à quelque distance derrière lui, au sommet de la colline. Les yeux naturellement curieux quittant solennellement la tombe à la recherche de la source du bruit se posèrent logiquement sur Cook et demeurèrent rivés sur lui.

Cook reprit sa marche après avoir jeté un œil pardessus son épaule pour localiser le musicien et le vouer à la damnation éternelle. Puis il ralentit. Fallait-il qu'il continue ? Ne valait-il pas mieux qu'il s'arrête ? Si. Il devait impérativement s'immobiliser pendant la sonnerie aux morts. Voilà pourquoi tous le dévisageaient. Il se figea et joignit les mains en signe de respect. Quelques yeux se détournèrent de lui, mais pas beaucoup. Il resta pétrifié par la gêne, seul, à flanc de coteau, tandis que les notes limpides s'égrenaient dans le vide. Comme l'air mélancolique s'achevait, les yeux se détachèrent lentement de Cook et se posèrent à nouveau sur la tombe de Stiph. Cook se remit en marche, prestement, et, en arrivant à la lisière de la foule amassée, il entendit quelqu'un dire « Amen », et un petit soupir s'éleva de l'assemblée. Les gens s'ébrouèrent. Cook soupira, voulant au moins partager ça avec les autres personnes présentes. Au milieu des murmures discrets, les gens remontèrent petit à petit la pente. Cook joua des coudes, à contre-courant du mouvement général, tâchant de s'approcher du cercueil posé par terre, à côté de la fosse béante. Il remarqua avec une certaine angoisse qu'il y avait une festive surenchère de couleurs dans les tenues vestimentaires tout autour de lui – en contraste radical avec la tonalité sombre et lugubre de son costume. Ne portait-on désormais plus le noir aux enterrements ? Il se sentit stupidement démodé.

Quelqu'un le tirait doucement par la manche. Sur le coup, il songea que c'était peut-être un membre du service funéraire lui réclamant quelque chose. Mais, heureusement, ce n'était que Woeps. Son visage reflétait l'inquiétude et l'effroi – le type de mine qui convenait à un enterrement, si ce n'est que c'était peu ou prou la tête que le linguiste affichait en permanence.

« Que s'est-il passé, Jeremy ?

Cook le regarda et haussa les épaules.

– J'étais en retard, dit-il.

– Ça, je sais, mais... » Woeps sourit tristement. « Navré. Je vois ce que tu veux dire. Tu veux dire...

– Je veux dire, murmura Cook avec hostilité, que j'étais en retard, et que si l'assassin n'avait pas fourré le corps dans mon bureau et si l'entrepreneur des pompes funèbres n'avait pas fichu ce stupide trompettiste au sommet de la colline, tout le monde s'en tamponnerait le coquillard.

Woeps fit la moue.

– Écoute, Jeremy, ne le prends pas comme ça...

– Oh, je ne suis pas en colère contre toi, Ed », dit-il. Il enleva ses lunettes et se frotta l'arête du nez. « Bon sang, tu parles d'une semaine. »

Woeps tendit la main et serra fraternellement le bras de Cook près de l'épaule. « Il ne faut pas que tu te laisses abattre, Jeremy. Rien de tout cela n'est de ta faute. Allons, je te paye un café, ou ce que tu veux.

Cook secoua la tête.

– J'aimerais rester une minute ou deux, Ed. Je ne suis pas venu uniquement pour me faire remarquer.

Il fixa le cercueil. Woeps suivit son regard.

– Très bien, Jeremy. Je t'attendrai près de ma voiture.

– Ne m'attends pas, Ed. » Cook se tourna vers lui. « On se retrouve au boulot. »

Son ami hésita un moment, puis hocha la tête et s'en alla avec les personnes venues assister à l'inhumation. Pendant quelques secondes, Cook observa la foule qui remontait la pente, avant de se tourner vers le cercueil qui lui parut massif, mat et luxueux. Il le fixa intensément, car c'était l'usage, pensa-t-il, aux enterrements. C'était un privilège des vivants sur les morts. Il commença à se sentir mieux. Ce n'était que justice qu'il se retrouve à présent seul avec Stiph.

Sauf qu'il n'était pas tout à fait seul. Une silhouette solitaire se tenait face à lui, exactement de l'autre côté du cercueil, une vieille femme en noir. La veuve ? Peu probable, songea Cook. Durant les funérailles les gens ne laissaient généralement pas les veuves sans compagnie. Une sœur ? Une ancienne maîtresse ? Elle dévisagea Cook. Puis lui adressa la parole.

« Pourquoi êtes-vous encore ici ? », lança-t-elle. Elle n'avait pas mis l'accent sur *vous*, et n'avait donc pas remis en question *sa* présence à lui en particulier. Elle avait une voix de femme âgée, mais un timbre aussi limpide que le clairon qui avait retenti à peine quelques minutes plus tôt.

Cook haussa les épaules et mit ses mains dans ses poches.

« J'étais en retard, répondit-il.

Elle s'approcha de lui, décrivant un large cercle autour de la fosse.

81

– J'ai remarqué, dit-elle. Qui êtes-vous ?

– Je m'appelle Jeremy Cook. Je travaille à l'institut Wabash. »

Elle pencha la tête d'un côté, s'approcha encore un peu, se déplaçant doucement. Arrivée à côté de lui, elle se tourna vers le cercueil et dit : « Oui, il parlait de vous de temps en temps. »

Cook déglutit. « Arthur ? Votre mari ?

– Oui, répondit-elle. Il est mort dans votre bureau.

– Il a été retrouvé mort dans mon bureau, en effet.

– Ah. » Elle sourit. « La précision. Arthur était comme ça, lui aussi, monsieur Cook. J'espère que le fait qu'il ait *été trouvé mort* dans votre bureau ne vous a pas trop incommodé… que cela n'a pas été pour vous une gêne excessive. »

Cook jugea tout d'abord cette remarque hautaine, pleine d'auto-apitoiement, mais un coup d'œil à la dame lui indiqua qu'elle était véritablement soucieuse de la position dans laquelle il se trouvait. Elle semblait réellement saisir la façon dont, en un sens, il avait été étrangement impliqué.

« C'est effectivement un peu bizarre. »

Ce n'est pas une femme particulièrement séduisante, se dit-il. Il n'était pas non plus évident de deviner derrière ses traits fatigués les vestiges d'une beauté passée. Elle était tout simplement petite et vieille. Sa chevelure était peu soignée, et sa robe noire, usée et froissée.

« Mes condoléances », dit-elle en souriant faiblement.

De nouveau, Cook douta de ce qu'elle avait voulu dire, mais là encore elle semblait parfaitement sérieuse.

« De même », répondit-il en désignant le cercueil d'un geste désinvolte. Ils se tinrent tous deux silencieux. L'atmosphère était très calme. Au loin, Cook entendit les bruits étouffés des portières et perçut le grondement des voitures qui s'en allaient, de l'autre côté de la colline.

« Qui était exactement votre mari, madame Stiph ? demanda Cook. Je ne peux pas dire que je le connaissais vraiment. »

Elle ne quittait pas le cercueil des yeux, tout en réfléchissant. Il revint à la charge :

« Madame Stiph ? Je me demandais comment était votre mari au quotidien. »

Peut-être, songea-t-il, préférait-elle ses questions sous forme de subordonnées indirectes.

Elle garda le silence encore un instant avant de répondre.

« Monsieur Cook, quand je me suis rapprochée de vous, ce n'était pas dans l'espoir que vous me posiez des questions de cet ordre. »

Elle persista à regarder droit devant elle. Cook attendit, conscient d'être dans une situation délicate. Il scruta son visage. Elle le laissa faire, en fait elle parut même l'y inviter. Elle semblait, plus que tout autre chose, résolue et en colère. Était-elle en colère parce qu'elle était désormais seule ? Pourquoi n'y avait-il personne pour se tenir à ses côtés dans ce moment difficile ? Personne hormis Cook. Peut-être était-ce pour cela qu'elle discutait avec lui. Même si « discuter » ne semblait pas être le mot adéquat. Mais soudain ses yeux changèrent et se chargèrent d'une intensité qui leur avait jusqu'alors fait défaut.

« Monsieur Cook… Jeremy… Puis-je vous appeler Jeremy ? Oui, bien sûr que je peux, s'empressa-t-elle de répondre. Jeremy, si c'est vous qui étiez allongé dans cette boîte à la place de mon mari, et si j'étais à vos funérailles en train de discuter avec l'un de vos amis, disons cet homme avec qui vous parliez il y a quelques instants, et que je lui demandais : "Monsieur, qui était vraiment votre ami ? Jeremy Cook, comment était-il ?" Que dirait-il ? Que voudriez-vous qu'il réponde ? »

Elle avait dit tout cela sans se tourner une seule fois vers lui. Elle cessa de parler, mais ses yeux restèrent braqués droit devant elle, étincelants. Elle attendait une réponse. Cook regrettait qu'elle se soit interrompue, en tout cas pour poser cette question, qu'il connaissait bien pour se l'être souvent posée. Mais il finit par répondre, et essaya d'être honnête.

« Je voudrais que mon ami dise quelque chose à mon sujet. Quelque chose d'important. »

Elle demeura parfaitement immobile. Puis elle hocha la tête.

– Significatif...

– Oui. Qu'il raconte une histoire me concernant. Le mieux, ce sont les histoires. Souvent plus significatives que de simples mots.

– Oui.

Cook poussa un petit soupir de soulagement, se sentant bêtement fier de cette approbation.

« Et le pourrait-il, Jeremy ? Pourrait-il raconter une telle histoire ?

– Mon ami ? Celui que vous venez de voir ?

– Oui. Lui.

Elle regardait toujours fixement le cercueil, comme si elle communiquait autant avec Arthur qu'avec Jeremy. Son visage était résolu.

« Je ne sais pas, dit-il doucement.

– Vous ne savez pas. Et pouvez-vous dire quelle histoire vous voudriez qu'il raconte ?

Cook se frotta l'arête du nez sous ses lunettes.

« Il faudrait que j'y réfléchisse un moment, dit-il.

– Il faudrait que vous y réfléchissiez un moment, répéta-t-elle à nouveau. Ne trouveriez-vous pas ça présomptueux de la part de votre ami s'il *essayait* de…

– Non, répondit-il immédiatement. Je voudrais vraiment qu'il essaye.

Elle hocha la tête.

– Je crains de ne pas avoir d'histoire à vous raconter, Jeremy. Cependant j'ai *une* histoire… une histoire à vous faire lire. Arthur l'a écrite quand il était étudiant à Yale. Ça parle d'un homme pour le moins étrange qui cherche à rencontrer un certain type de personnes, organise des réunions avec elles, et ensuite… Ma foi, je vais vous la faire lire. »

Elle se tut, redressa la tête et le regarda attentivement.

« Je vous la donne parce qu'elle vous apprendra quelque chose d'important à propos d'Arthur et donc répondra à votre question, que je prends très au sérieux. Ce sera certainement la dernière fois que quelqu'un me demandera qui il était. Mais je vous donne l'histoire aussi parce qu'elle vous aidera à comprendre pourquoi il est mort, ou en tout cas pourquoi il était à l'endroit où il était quand une voiture l'a percuté. Ce soir-là, mardi soir, quand il a quitté la maison, il m'a dit : "Adelle, je sors. J'ai un contre-ami à voir."

– Un *contre*-ami ?

– Oui. De toute évidence, il avait un rendez-vous tardif avec quelqu'un de Wabash. C'est comme ça qu'il aimait procéder.

– Mais qu'est-ce que c'est, un contre-ami ?

Elle sourit.

– Je laisserai à Arthur le soin de vous l'expliquer. Vous verrez. » Elle fit face au cercueil. « Il y avait des choses qui chagrinaient Arthur, Jeremy. Il les a combattues. Il s'est battu de toutes ses forces. J'ai essayé de l'aider comme j'ai pu. »

Elle s'avança de quelques pas, enleva un de ses gants, tendit la main et fit glisser un long doigt nu sur le dessus du cercueil. Son doigt se déplaçait lentement, comme si elle tâtait le bois pour y déceler des imperfections. Elle se retourna et avisa Cook.

« Il avait encore de bonnes années devant lui. Il était en bonne santé. »

Elle plissa les yeux.

Pendant un moment, elle ne bougea pas. Puis, dans un geste d'une grâce antique, elle tendit une main à Cook. Il s'avança et la prit dans la sienne. Ensemble, ils entamèrent la longue remontée de la colline herbeuse. Ils demeurèrent tous deux silencieux. Cook écouta les rares sons qui troublèrent leur recueillement – le chant d'un cardinal solitaire, perché en haut d'un arbre, peut-être en quête d'un compagnon ; une voiture hors de vue, sur le point d'emporter le dernier membre du cortège dans un claquement de portière ; un bruit métallique en provenance de la remise à outils du cimetière, quelque part dans les environs.

Au sommet de la colline, il ne restait que deux voitures, une Volkswagen garée juste à côté du portail – la voiture de Madame Stiph, apparemment – et la Valiant de Cook, à bonne distance sur la grand-route. Cook accompagna Madame Stiph jusqu'à la sienne. Il lui ouvrit la portière et, lentement, elle s'installa derrière le volant.

« Merci à vous, Jeremy, fit-elle en levant la tête tout en fouillant dans son sac à la recherche de ses clés.

Je n'ai plus besoin de vous. Vous pourrez, cependant, penser de temps à autre à un vieux couple, un couple qui fut heureux pendant de nombreuses années. » Elle dit ensuite sur un ton plus ferme : « Je suis contente que vous soyez finalement comme vous êtes. Au revoir. » Elle lui fit un signe de la main, comme s'il était très loin et pas juste à côté d'elle, penché à la portière.

Elle s'en alla. Cook observa la voiture qui s'éloignait sur la route et prenait le virage ; il continua à regarder longtemps après qu'elle eut disparu. Puis un bruit métallique derrière lui attira son attention. Par curiosité, il revint sur ses pas jusqu'au sommet du monticule qui surplombait les tombes. Là, deux employés du cimetière se dirigeaient vers la tombe de Stiph. Le premier traînait paresseusement sa pelle derrière lui, et de temps en temps, celle-ci venait heurter une pierre tombale. Cook regarda une dernière fois le cercueil avant de faire volte-face.

Pas ordinaire, cette veuve, se dit-il en sortant du cimetière. Stiph n'avait peut-être pas non plus été un mari ordinaire. Et que penser de l'histoire à laquelle elle avait fait allusion ? Devait-il l'appeler à ce propos, une fois rentré chez lui ? Qui Stiph avait-il donc eu l'intention de retrouver ? L'histoire promise par Madame Stiph allait-elle le lui apprendre ? Comment était-ce possible si, comme elle l'avait dit, Stiph l'avait écrite des années plus tôt ?

Il donna un coup de pied dans le gravier accumulé au bord de la route et regagna sa voiture.

Chapitre cinq

Près du pare-brise, du côté passager, quelque chose attira l'attention de Cook. Par simple curiosité, il se pencha pour regarder de plus près. Rien n'indiquait d'où cela pouvait venir. Pas de caillou à terre, pas de jeunes voyous à proximité, pas d'écureuil vandale gambadant alentour, armé de glands gigantesques. Tandis qu'il scrutait la carrosserie cabossée, il réprima un frisson qui remontait jusqu'à la racine de ses cheveux : dans le creux de la tôle froissée, un caprice de son imagination lui fit apercevoir la tête d'Arthur Stiph. Mais c'était impossible. Cook ne l'avait pas tué. Quelqu'un d'autre était coupable. Cela remontait à plusieurs jours – mardi soir. On était vendredi.

Mais alors d'où venait cette bosse ? Stiph, devant l'attitude de Cook à l'égard de sa femme, avait-il sorti une main décharnée de la tombe pour, dans une colère jalouse, asséner un coup de poing sur le capot de la Valiant de Cook ?

Non, songea ce dernier, dont l'esprit tournait désormais à plein régime. Il y avait une autre explication – une explication plus terre-à-terre.

« Bon sang ! lâcha-t-il à haute voix. Qui est le sale enfoiré qui a fait ça ? » Il passa la main sur la carrosserie enfoncée, puis la retira promptement. Il serra les poings, ressentant avec plus d'acuité que jamais l'injustice de ce qui lui arrivait. À *lui*. Il fallait oublier Stiph, il était bel et bien mort, et l'on ne pouvait plus rien y faire. Mais pourquoi ne pouvait-il pas, lui, Cook, continuer à vivre sa vie normalement ? « Le sale enfoiré ! », répéta-t-il. Il examina le reste de sa voiture et s'étonna de tomber sur un tout petit morceau de tissu effiloché, accroché à l'une des extrémités de la calandre chromée.

Il décida de se rendre directement au poste de police pour rapporter à Leaf ce qu'il venait de découvrir. Fort heureusement, l'enquêteur avait déjà examiné sa voiture. *Fort heureusement*. Il glissa la pièce de tissu dans sa poche de chemise, de peur qu'elle ne s'envole s'il la laissait sur la calandre. Ensuite, alors qu'il roulait sur la route principale en direction du centre-ville, il tâcha de tenir le fil d'une réflexion qui menaçait de lui échapper. Celui ou celle qui avait endommagé si précisément son capot devait savoir que cette histoire de carrosserie cabossée avait de l'importance – que le « cabossage » était même en l'occurrence une notion décisive. Ce qui prouvait, ou du moins contribuait à accréditer de manière substantielle, l'hypothèse selon laquelle la carrosserie coupable avait effectivement été abîmée lors de l'accident.

Le lieutenant n'était pas là, apprit le linguiste de la bouche d'un imposant sergent à la face blême qui devait sans doute, songea Cook, être un excellent joueur de bowling. Vers quelle heure allait-il revenir ? demanda-t-il poliment, quand bien même il estimait que l'information aurait dû lui être fournie d'office. D'ici environ trois quarts d'heure. Pouvait-on le joindre ? Non, impossible. Y avait-il moyen de lui faire savoir à son retour que Jeremy Cook le cherchait ? Oui, pour ce que ça valait. Serait-il préférable que Cook revienne vers treize heures, au moment du retour prévu du lieutenant ? Peut-être, mais on ne pouvait rien lui promettre. Le sergent peu disert souhaitait-il aller se faire voir chez les Grecs ? Probablement, mais rien n'était moins sûr.

Se tenant devant l'hôtel de ville, Cook se demanda pourquoi certains individus avaient le droit de vivre, et d'autres pas. Il soupira et consulta son estomac. Il n'avait pas faim – un petit-déjeuner spécial *grognard* avait eu pour effet de bétonner son système intestinal – mais, s'il ne mangeait pas bientôt, il allait probablement être affamé sous peu, au moment le plus inopportun. Il entama à pied la centaine de mètres qui séparaient le poste de police de son restaurant préféré. C'était le *Circus Maximus*, que certains appelaient le *Circus*, et d'autres, *Chez Max*. En marchant, il se sentit envahi d'une étrange torpeur. Il se demanda ce qu'il lui faudrait boire ou manger pour s'en débarrasser, et il se rendit soudain compte que sa vie entière n'était qu'un combat stupidement futile visant à conserver une sorte de vivacité mentale.

Une fois *Chez Max*, il jeta un rapide coup d'œil pour s'assurer qu'aucun de ses collègues n'était ni accoudé au bar ni attablé dans la salle, et avisa un box à l'écart. Une serveuse au teint mat, de type méditerranéen, qu'il connaissait et appréciait, et dont l'alliance aurait dû noircir depuis longtemps tant il l'avait maudite, lui demanda comment il allait et prit sa commande. Il tapota doucement sur la table en attendant d'être servi, s'efforçant d'avoir simplement l'air d'un type qui tourne et retourne une énigme amusante dans sa tête, posture qui lui était familière après tant d'années passées à manger seul au restaurant. Cependant, il n'était obnubilé que par une seule chose : la drôle de dégaine qu'il devait avoir dans ce costume noir. De temps en temps – à chaque fois que le gros type installé dans le box voisin rajustait ses fesses sur la banquette – la paroi derrière lui était désagréablement secouée.

Au bout d'un moment, la serveuse revint avec ses *linguine* au foie de volaille et une bouteille de bière qu'elle posa devant lui. Il admira les gouttes de condensation sur le goulot et l'étiquette. Puis, sans doute parce qu'il était malheureux, fatigué et seul, la bouteille lui échappa et se renversa bruyamment sur la table. Il se précipita pour la redresser, mais une bonne moitié du liquide s'étalait déjà en une flaque mousseuse et gouttait sur le siège d'en face.

« Hé, l'ami, vous êtes vraiment obligé de gigoter comme ça ? »

D'un mouvement vif, Cook se retourna. Par-dessus son épaule, le visage qu'il vit était rouge et hostile. La mine de Cook n'était pas non plus très avenante : il était prêt à en venir aux mains. C'était peut-être d'une bagarre dont il avait besoin pour renverser le cours des choses aujourd'hui, pour le sortir de cette torpeur étrange. C'est alors que le visage du lieutenant Leaf émergea du voile rubicond et colérique qui lui faisait face, lui adressant un sourire depuis l'autre côté de la cloison.

« Jeremy ! s'exclama-t-il. Comment ça va ? Ne bougez pas, je vais me joindre à vous. »

Leaf se retourna pour récupérer ses affaires et se releva, tout en lui expliquant combien il était content de tomber sur lui, sans cesser de l'appeler par son prénom, laissant entendre qu'il existait entre eux une intimité que Cook jugea certes surprenante, mais pas désagréable. Au moment où le lieutenant s'attablait, Cook le prévint.

« Attendez lieutenant. Le siège est tout trempé. »

Leaf eut un mouvement de recul, puis pencha son corps massif au-dessus du siège, comme s'il avait l'intention de renifler la bière. Après quelques sommaires coups de serviette, il s'assit avec une tasse de café encore pleine dans une main, une cigarette dans l'autre, et fit remarquer que Cook semblait fringué pour se rendre à un enterrement. Cook s'étonna à nouveau du tempérament de Leaf ; on aurait dit une version XXL d'un croisement entre Humphrey Bogart et John Cleese. Cook était content d'avoir Leaf sous la main, pas seulement parce qu'il avait envie de discuter avec quelqu'un, mais parce qu'il avait envie de discuter avec lui en particulier. Il n'y avait rien de plus merveilleux, songea-t-il, que de parler lorsqu'on avait vraiment quelque chose à dire, et d'user de mots si justes, dont le sens est si limpide, qu'ils ont le pouvoir de secouer la chimie intime du corps de son interlocuteur ; à cet instant, Cook éprouvait ce sentiment avec Leaf. Il lui parla de la carrosserie de sa Valiant, puis il sortit le tissu de sa poche. Leaf posa sa tasse, se frappa le front en lâchant un juron, si tant est que « saperlipopette » puisse être considéré comme un juron. Ensuite, il examina soigneusement le tissu à la lueur de la lampe éclairant sa table. Il parut résolu à s'abstenir de tout commentaire jusqu'à ce que Cook lui rappelle que, d'un commun accord, ils étaient associés dans cette enquête. Leaf sourit, puis dit qu'il supposait, comme Cook l'avait fait quelques heures plus tôt, que c'était une tentative pour lui tendre un piège, une tentative bien approximative.

« Il est un peu tard pour que ce gars aille vandaliser des bagnoles », dit-il. Il écrasa sa cigarette et fit signe à la serveuse de lui resservir un café. Cook commanda une autre bière. « Ce tissu doit certainement correspondre au pantalon de Stiph, poursuivit Leaf après s'être raclé la gorge. Celui qu'il portait quand il s'est fait renverser. Je vérifierai ça au poste.

– Vous avez encore son pantalon ? demanda Cook.

– Bien sûr. Qu'est-ce que vous croyez, qu'on va le vendre aux enchères comme un vélo volé ? » Il but une gorgée de café, puis alluma une autre cigarette. « Avez-vous une idée de l'identité de celui qui a pu faire ça, Jeremy ?

– S'attaquer à ma carrosserie ou alors écraser un piéton et s'enfuir ?

– C'est une seule et même personne, vous ne pensez pas ?

Cook fit la moue. Bien sûr que c'était ce qu'il pensait. Alors pourquoi avait-il demandé à Leaf de préciser ? Il avait l'esprit complètement embrouillé. Il soupira, réalisant que jouer au plus fin allait certainement le mettre sur les rotules, car il était épuisant de donner l'impression que l'on croit certaines choses alors que ce n'est absolument pas le cas.

– Non, lieutenant, dit-il. Je n'en sais rien. Je n'y ai pas vraiment réfléchi.

– *Har, har, har…* répondit Leaf. Vous n'y avez pas vraiment réfléchi.

– Non, honnêtement, dit Cook. J'avais d'autres choses en tête.

– Vous aviez d'autres choses en tête, *har, har, har…*

Cook renonça à fournir des explications, se disant que s'il réussissait à convaincre Leaf qu'il était tout à fait sérieux, il passerait pour plus cinglé encore. La serveuse apporta sa nouvelle bière, il l'empoigna précautionneusement et but une longue goulée à la bouteille.

– Avez-vous des pistes, lieutenant ? demanda-t-il.

Leaf mit ses deux mains devant son visage, et joignit le pouce et l'index de chacune pour former deux petits ronds. Puis il colla les ronds sur ses yeux, comme des lunettes. Il regarda Cook ainsi, à travers les bésicles formées par ses doigts, dans une position qui suggérait qu'il avait complètement perdu la raison. Puis il détacha les cercles de ses yeux et les tendit à Cook pour que celui-ci les examine.

– Zéro, Jeremy, dit-il en guise d'explication. Double zéro. Rien de rien. »

Les deux hommes réglèrent leurs additions et sortirent du restaurant. Cook proposa à Leaf de l'accompagner jusqu'au poste de police où il avait laissé sa voiture. Leaf acquiesça et répondit qu'il voudrait y jeter un œil, vu que la journée était plutôt calme. « Touchons du bois », ajouta-t-il, puis il leva la main avec un rictus idiot et se tapa sèchement le dessus du crâne. Il alluma une nouvelle cigarette et, d'une même inspiration, s'envoya une bouffée d'air et de nicotine. Cook était sidéré par l'état de santé du bonhomme, auquel il n'avait jusqu'alors pas prêté attention. Une véritable épave : sa figure était toute cramoisie ; à intervalles réguliers, il était pris de quintes de toux sèche ; et, de temps en temps, il lançait des regards paniqués, comme en proie à une douleur aiguë.

Cook demanda au lieutenant s'il avait déjà examiné les voitures appartenant aux autres personnes qui disposaient des clés de Wabash. Leaf répondit par l'affirmative, et il n'avait rien trouvé. Cook lui demanda ensuite s'il avait parlé à quiconque de sa théorie d'une carrosserie endommagée, hormis à lui. Leaf réfléchit un moment avant de secouer la tête, puis, devinant où Cook voulait en venir, fit remarquer que ce qui était arrivé à sa voiture ne prouvait pas nécessairement que celle qui avait servi d'arme du crime avait également été cabossée, car le tueur, voyant son véhicule examiné par la police, aurait très bien pu prendre l'initiative d'exploiter à son profit l'hypothèse officielle. Cook songea à cette théorie et maudit le monde d'être si complexe. Il décida qu'il fallait tout reprendre depuis le début.

« Mais que faites-vous de la mort de Stiph au juste, lieutenant ? demanda-t-il en se pressant de traverser alors que tous les feux étaient rouges.

– J'en fais exactement ce que vous en faites, et ce que la poignée d'autres personnes dotées d'une intelligence un tout petit peu au-dessus de la moyenne devrait en faire, répondit-il.

– Vous pensez que c'est un accident ? C'est ça ?

Leaf réprima un petit rire.

– Disons juste que si j'avais l'intention de tuer quelqu'un et que je voulais bien faire les choses, je ne miserais pas sur l'idée de lui rentrer dedans en voiture, au milieu de la nuit, à un endroit où je n'aurais pas la certitude de le trouver, tout en donnant un grand coup de frein. Attendez ! »

Leaf s'interrompit en plein raisonnement. Cook attendit avec impatience qu'il lui fasse part de l'idée fulgurante qui venait manifestement de lui traverser l'esprit. Mais à voir la tête de Leaf, il s'était arrêté parce qu'il avait vu quelque chose. Cook suivit son regard. Ce dernier était braqué sur un article dans la vitrine d'un magasin de vêtements pour hommes : une chemise violette à petites fleurs brodées sur le col.

« J'adore cette chemise », dit Leaf avec conviction, puis il s'éloigna lentement, à contrecœur.

Incrédule, Cook resta sur place un moment, regardant tour à tour la chemise et Leaf pour s'assurer que celui-ci était bien sérieux. Il se demanda comment un homme qui admirait une telle chemise pouvait élucider des crimes.

« Que voulez-vous dire quand vous dites qu'il n'était pas vraiment possible de savoir que Stiph serait là où il était, lieutenant ? demanda Cook.

Leaf dévisagea Cook.

– Vous ne voulez pas enlever ce veston idiot ? Vous suez comme un porc qu'on emmène à l'abattoir. »

Cook, soudain conscient de son inconfort, obéit, ôta sa veste et la balança sur son épaule.

« Arthur Stiph, poursuivit Leaf, faisait souvent des promenades sans but particulier, le soir. Par monts et par vaux, et à toute heure. Selon sa veuve, c'était justement le cas lorsqu'il a été tué.

Cook se tourna vers lui.

– Vous lui avez parlé ? À sa veuve ?

– Bien sûr », répondit Leaf, bâillant presque.

Cook réfléchit un moment. Leaf n'avait-il pas laissé entendre précédemment ne l'avoir jamais rencontrée ? Il secoua la tête, tâchant d'accoucher enfin d'une pensée claire, et, à sa grande surprise, y parvint, en constatant qu'il se trouvait face à un point de divergence. Leaf pensait apparemment que la promenade de Stiph n'était qu'une simple balade anodine.

« Madame Stiph m'a dit qu'Arthur avait rendez-vous avec quelqu'un, lieutenant.

– Qui ?

– Elle ne m'a pas dit qui. Parce que *lui* ne le lui avait pas dit. Il a juste dit qu'il allait rencontrer un… un quelque chose, un contre-ami.

– Je sais déjà ça. Mais bon sang, qu'est-ce que ça signifie, un "*contre*-ami" ? Un mauvais ami ?

– Je ne sais pas, dit-il en jetant un coup d'œil à Leaf. Donc elle vous l'a dit, à vous aussi ?

– Bien sûr.

– Mais vous n'aviez pas l'intention de m'en parler.

– Non.

Cook se racla la gorge.

– Ne nous étions-nous pas mis d'accord ? Je croyais qu'on allait travailler ensemble. Mettre en commun nos ressources.

– Ouais. Navré. Écoutez, puisque vous en parlez, je n'ai pas pu trouver ce mot dans mon dictionnaire.

– Quel mot ? Contre-ami ?

– Ouais.

– Je regarderai dans le mien. Comme je disais, j'espérais que vous accepteriez d'être un peu plus généreux avec…

– Il reste encore un problème, vous savez, à propos de ce rendez-vous avec son assassin.

Leaf ne se contenta pas seulement de faire mine de n'avoir pas entendu la réclamation de Cook, il fit tout bonnement comme s'il n'était pas là.

– Ah bon ? fit Cook, dont la tête tournait.

– Vous avez dit que les traces de pneus indiquaient qu'il y avait eu une embardée.

– C'est exact. Une petite embardée.

– Ce qui suggère à mon sens qu'il y a eu comme une tentative d'éviter la victime.

– Ou bien l'effet d'un impact soudain.

« – Qui sait ? Un coup d'œil aux traces aurait pu clarifier cela, mais elles ont disparu, pas vrai ?

– Oui. Vrai. »

Ils marchèrent tous deux en silence un moment, Cook songeur, marchant à pas mesurés, le lieutenant à ses côtés, agité et souffreteux. Cook finit par reprendre la parole :

« Lieutenant, vous semblez ne pas en savoir plus que moi, et je ne suis qu'un linguiste. Votre numéro sur le "double zéro" était-il sincère ?

Les épais traits de Leaf se condensèrent pour former une sorte de moue. Il se tourna vers Cook, inclina la tête d'un air faussement concerné, et parut sur le point de délivrer de nouvelles paroles énigmatiques. Mais il se contenta de s'attribuer une tape sur le ventre. Puis, apparemment ravi par le son produit – à croire qu'il ne s'y attendait pas –, il s'en donna une autre.

Cook réfléchit en silence à la tournure que prenaient les événements. Il se demanda à quel moment il arriverait au point où Leaf cesserait de l'amuser.

« Jeremy, dit finalement l'enquêteur, savez-vous quel est le meilleur indice dans cette affaire ?

– Oui, répondit Cook. Le corps dans le bâtiment. La personne qui a amené le corps a une clé.

– Mais il y avait des signes d'entrée avec effraction, dit-il en prenant une intonation rhétorique chantante, comme s'il faisait passer à Cook un examen oral.

– Ce qui vous a inspiré un "drôle de sentiment", lieutenant. Vous m'avez donné l'impression que l'entrée par effraction était bidon.

– Ah bon ?

– Oui.

– Ma foi, c'est parce que c'est le cas.

Cook fronça les sourcils et se demanda où Leaf avait appris l'art de la conversation.

– Pourquoi dites-vous ça ?

Leaf prit une profonde inspiration, puis parla très vite.

– Parce que le verre brisé se trouvait essentiellement *à l'extérieur* du bâtiment, or il ne serait pas là s'il avait été cassé *depuis* l'extérieur ; ç'a été fait avec le manche en bois d'une binette qui se trouvait au sous-sol, le gars a essayé de faire croire que le corps avait été traîné par le soupirail de la cave en coinçant un bout de verre dans un revers de pantalon de la victime, alors que le dernier des crétins réellement dépourvu de clé serait entré seul à la cave et aurait ensuite ouvert la porte du rez-de-chaussée pour faire rentrer Stiph. Autrement dit, il en a trop fait.

Cook gambergea un moment puis hocha la tête.

– Ça semble se tenir.

– On ne me fait pas gober n'importe quoi.

Cook médita cette assertion, puis revint à la charge :

– Cela signifie que le tueur voulait cacher le fait qu'il avait une clé, c'est donc qu'il en avait effectivement une. C'est donc un individu parmi cinq.

– Six.

– Quoi ?

– Six personnes.

– Non, Mademoiselle Pristam est en voyage.

– Six.

– Mary-la-secrétaire n'a pas de clé. Et les personnes chargées du nettoyage ne travaillent que de jour, parce que mon patron n'a pas confiance et ne leur laisse pas les clés.

– Six.

Cook écarta les bras en signe d'exaspération.

– Mais qu'est-ce que vous me chantez, là ?

– Au dix-huitième siècle, un explorateur britannique voyagea en Australie et en Nouvelle-Zélande. Comment s'appelait-il ?

– Le capitaine Cook.

Leaf sourit à Cook comme si celui-ci venait de tomber dans le piège le plus astucieusement tendu des annales de la chasse aux criminels dans l'Indiana.

– C'est cela même, Cap'taine. »

C'est à ce moment-là que Cook cessa de trouver le lieutenant amusant.

« Six est un bon chiffre, enchaîna Leaf survolté, à présent dans une phase d'excitation maniaque. J'ai six frères et sœurs. J'ai un parc de six voitures. J'aime le six. C'est mon chiffre fétiche. Le fait qu'il y ait six suspects dans cette affaire est pour moi un avantage.

Il se passa un doigt boudiné sur les dents.

– Très bien, lieutenant. Je ne vais pas tenter de disséquer l'hypothèse de ma culpabilité avec vous. Je vous en laisse le soin. Dites-moi juste une chose. Est-ce que chacun n'a pas un alibi pour mardi soir ? Moi, je n'en ai pas, évidemment.

– Non, vous n'en avez pas, pour dire les choses gentiment. Le fait d'être sur la scène du crime au moment où il est commis n'est pas normalement considéré comme un alibi, *har, har, har*… Quant aux autres, un seul d'entre eux a un alibi, mais il n'y a que sa femme pour corroborer ses dires, et c'est une menteuse.

– Comment le savez-vous ?

– Des perruches dans leur salle de séjour. Les gens qui ont des perruches sont des menteurs.

Cook se mit à rire.

– Vous n'êtes pas sérieux.

– Si. Quand on est dans la police depuis un certain temps, on apprend ce genre de choses.

– Je suppose que vous avez parlé à tous les suspects ?

– Oui.

– Avez-vous appris quoi que ce soit d'intéressant ?

– Oui.

– Qu'avez-vous appris ?

Leaf se tut un instant.

– J'ai appris que votre labo du langage ou centre pour bébés ou je ne sais quoi, emploie des enfoirés de première, je peux vous le dire.

Cook rit à nouveau.

– Ce n'est pas à moi qu'il faut dire ça.

– Ils sont soupçonneux et désagréables… des individus aux petits rires nerveux. Des tordus, tous, des sagouins. Des fripouilles.

– Ma foi, Ed Woeps est un ami. Jamais je n'aurais pensé qu'il vous inspirerait de tels sentiments.

– Eh bien, vous auriez eu tort.

– Mais il…

– Tous des enfoirés, enfoirés, foirés…

Sentant qu'il y avait peu de place pour le débat, Cook demanda :

– Un des suspects est-il plus suspect que les autres ?

– Non, répondit Leaf de manière peu convaincante.

– Possédez-vous des perruches ? »

Leaf s'immobilisa et éclata d'un rire puissant, incontrôlable. Ce spectacle ne fit pas plaisir à Cook, car il se rendit compte que c'était peut-être pour Leaf sa seule réaction honnête de tout l'après-midi. Et encore, même à cet instant, il n'en était pas certain.

« Allons examiner votre voiture », fit Leaf, le visage encore plus rougeaud qu'à l'accoutumée et le contour des lèvres un peu humide.

Ils traversèrent le parking situé à proximité du poste de police. Cook indiqua la Valiant.

« Pas mal, dit Leaf en s'étalant en travers du capot. Pas mal. Une tête humaine aurait pu faire cette marque, pour autant que je puisse en juger.

– Quelle est la peine pour ce genre de choses, lieutenant ? Le meurtre, je veux dire. En imaginant que ça ait été un accident. Disons un homicide involontaire.

– Comment définiriez-vous "l'homicide involontaire", Jeremy ? demanda Leaf en s'asseyant sur l'avant du capot.

Cook vit sa voiture sérieusement s'affaisser. Il soupira.

« Lieutenant, faut-il que vous répondiez toujours par une question ?

– Désolé. Pas la peine d'être susceptible. »

Leaf balança ses jambes d'avant en arrière, comme s'il battait des pieds dans une piscine. « La plupart des gens pensent que l'homicide involontaire est juste un meurtre accidentel. Mais dans cet État – dans la plupart, j'imagine – il en existe de deux sortes, car on introduit les notions de préméditation et de respect de la loi au moment des faits. Si je vous traitais d'enfoiré de linguiste et que vous vous retourniez soudain contre moi en m'enfonçant deux doigts dans les orbites jusqu'à la cervelle, provoquant ainsi ma mort, on pourrait vous déclarer coupable d'homicide involontaire sans préméditation. C'est une sorte de meurtre, en fait – selon moi, en tout cas – mais accompli sous le coup de l'impulsion. Mais cependant, sans préméditation. "Dans le feu de l'action", dit-on le plus souvent. » Il adressa un sourire à Cook, sans raison apparente, et rit doucement. « Mais vous parlez sans doute de l'autre type d'homicide. Le meurtre involontaire commis alors qu'on est en infraction. Par exemple, en contrevenant au code de la route. La peine requise dans ce cas de figure va de deux à vingt et un ans.

Cook haussa les sourcils.

– C'est quand même sévère, pour un accident. »

Leaf descendit de la voiture, se rétablit sur ses pieds et épousseta son pantalon avec un geste de dégoût. « Dites, le législateur ne peut pas laisser n'importe qui faire n'importe quoi. » Il haussa les épaules. « Quoi qu'il en soit, vous voyez pourquoi le tueur ne s'est pas empressé de se dénoncer. D'autant que la victime était apparemment sympathique, du moins à entendre les gens à son propos. » Il observa un silence lourd de sens. « Mais, allez savoir pourquoi, ses efforts pour brouiller les pistes semblent toutes converger vers vous.

Cook hocha la tête.

– Probablement par simple commodité. Ma porte était ouverte par hasard, la lumière était allumée, n'importe quel imbécile s'en serait rendu compte. »

Leaf hocha plusieurs fois la tête. Puis il prit un air sceptique, comme s'il débattait intérieurement de quelque question personnelle. Quand il prit enfin la parole, Cook eut le sentiment que les mots qu'il s'apprêtait à prononcer avaient été choisis seulement après l'élimination implacable d'autres discours sensiblement différents.

« Jeremy, je ne vous ai pas dit quelle était la meilleure piste dans cette affaire. La clé du bâtiment, c'est bien, très bien. Mais après, c'est une question de caractère. Considérez d'abord l'accident, en supposant à nouveau que ce fût un accident. Il y a deux types de gens. Ceux qui ont de bonnes chances d'avoir un tel accident, et les autres. Ce qui resserre déjà le champ d'investigation. Ensuite, lors d'un accident comme ça, il y a deux choses à faire, et deux sortes d'individus pour les faire. On peut se cacher. Ou bien, on peut se dénoncer en espérant la clémence du tribunal. Ce qui réduit encore les possibilités, c'est que notre homme a choisi de se cacher. Et il a choisi de le faire d'une façon particulière. Il ne s'est pas juste enfui, par exemple. Il s'est montré plus prudent, plus réfléchi. C'est une chose qui me frappe dans cette affaire. La réflexion après coup, quelque chose du genre : "Bien, et maintenant, qu'est-ce que je fais ?" Donc notre homme rase Stiph pour masquer les traces de l'accident et, pour finir, installe le corps dans votre bureau. Cela suppose un type de personnalité tout à fait spécial. Et la fenêtre du soupirail. Ensuite, mettez ces éléments en regard du fait que le gars a vomi. Du whisky et de la crème glacée. Voyez-vous, Jeremy, c'est une question de caractère.

– Oui, mais bon Dieu, quel *genre* de caractère ?

Leaf prit une vigoureuse inspiration et gratta son volumineux menton. Puis il fit claquer ses doigts.

– Il y a une chose que j'ai oublié de vous dire, Jeremy, c'est que la montre au poignet de Stiph a été remise à l'envers.

Cook dévisagea Leaf en se demandant si ce gros lard n'était pas en train d'essayer de le rendre dingue.

– À l'envers ?

– Quand nous l'avons trouvé dans votre bureau, il avait sa montre au poignet gauche, j'imagine comme il la porte d'habitude, cependant le cadran n'était pas tourné vers lui, mais vers l'extérieur, comme pour donner l'heure aux autres. Sa femme a déclaré qu'il ne la portait jamais de cette manière. Je veux dire, ce serait idiot, non ? Habituellement, il portait sa montre comme tout le monde. » Il regarda la montre de Cook. « Comme vous et moi, Jeremy. » Il gratifia Cook d'un regard agréablement surpris, comme s'il venait d'apprendre que leurs anniversaires tombaient le même jour.

« C'est très intéressant, lieutenant, mais qu'est-ce qu'on fait de ça ? C'est comme ce satané mélange de whisky et de crème glacée et… »

« Lieutenant ! Lieutenant ! »

Le sergent à la dégaine de joueur de bowling s'était soudain mis à crier depuis la porte de derrière du poste de police. « Grésille, mon lieutenant ! s'écria-t-il. Grésille ! »

Cook ne se demanda pas qui était Grésille, ni ce que « grésille » signifiait, car il se rappelait avoir entendu Leaf utiliser ce terme et le lui avoir expliqué lors d'une précédente conversation. « Grésille ! » était une exclamation propre à la police de Kinsey, forgée sans aucun doute par Leaf, pour annoncer des développements inattendus – des choses dépassant largement la routine des simples contraventions.

Leaf releva la tête, fixa son attention sur le sergent, à l'autre extrémité du parking.

« Que se passe-t-il, John ? »

Il avait parlé doucement et patiemment, comme si l'homme était son fils.

« Un mort par balle. Un suicide, apparemment. »

Le regard de Cook plongea vers le sol, et il eut la vision claire d'une vieille dame lui faisant un grand signe alors qu'elle était tout près de lui.

Le sergent poursuivit impitoyablement. « Une vieille dame, mon lieutenant, lança-t-il tandis que Leaf avait commencé à presser le pas vers le poste de police. Une grande maison près de la Petite Wabash. Elle s'est fait sauter le caisson dans le séjour. Un voisin a appelé… »

Leaf n'autorisa pas Cook à l'accompagner sur la scène du suicide. Il ne proposa pas non plus à ce dernier de le suivre, et lorsque Cook en fit lui-même la suggestion, Leaf, tout en se précipitant vers sa voiture avec le sergent, déclara que c'était « hors de question ». Cook y vit une nouvelle trahison de leur accord antérieur qui stipulait qu'ils étaient censés se traiter l'un l'autre sur un pied d'égalité (accord dont il n'avait jusqu'alors tiré aucun profit et qu'il n'avait même, d'ailleurs, jamais vraiment compris), mais il ne broncha pas. Il rentra chez lui en voiture, hésita devant le téléphone, puis alla dans sa chambre et commença à se déshabiller pour prendre une douche. Mais il s'interrompit avant d'enlever son pantalon et, sans chemise ni chaussures, retourna au téléphone, voulant s'assurer du pire plutôt que de seulement le craindre. Il chercha le numéro du domicile d'Arthur Stiph dans l'annuaire et le composa. La voix du sergent qui décrocha le lui confirma aussitôt : Monsieur et Madame Stiph étaient à nouveau réunis. Leaf prit l'appareil et, à l'aide de termes éloquents tels que « pas joli à voir », donna à Cook une idée assez nette de la scène qui s'était déroulée dans la salle de séjour des Stiph. Apparemment, un voisin s'apprêtait à appuyer sur la sonnette pour voir s'il pouvait se rendre utile au moment où Madame Stiph avait pressé la détente. Le voisin avait ouvert la porte à temps pour la voir basculer du canapé directement sur la table basse.

Le reste de l'après-midi de Cook manqua quelque peu de cohérence. Il appela Ed Woeps pour se soulager d'une partie de son fardeau de nouvelles et de chagrin, mais son ami était en train de se soigner un pouce qu'il avait réussi à se casser ou se fouler en chahutant avec ses filles. Cook rapporta donc les nouvelles à la femme de Woeps, mais il ne se sentit guère mieux en raccrochant. Il resta plusieurs minutes assis près du téléphone, tâchant de trouver quels autres amis il pourrait appeler. Puis, l'inspiration souffla soudain dans une autre direction, et il composa le numéro d'Aaskhugh, grattant sa poitrine dénudée avec une certaine impatience. Personne ne décrocha. Ce qui ne fit que le motiver davantage, et il essaya de joindre Orffmann à son bureau. Quand le rieur à grosse tête et large gorge répondit, Cook pressa furieusement le téléphone contre sa bouche, gonfla la poitrine, se pencha en arrière et poussa le cri de hyène le plus immonde et le plus fort dont il était capable. Orffmann ne réagit pas immédiatement, et Cook raccrocha.

Puis il alla dans la cuisine, ouvrit une bouteille de bourbon, s'installa sur le canapé du séjour, et, dans un verre sale repêché avec colère dans l'évier de la cuisine, se mit à boire.

Arthur Stiph et sa femme jouaient dans une vieille église, leurs visages ridés pris de rires enfantins. Ils n'arrêtaient pas de tirer sur deux longues cordes qui pendaient du clocher. Celle de Madame Stiph produisait un *ding* aigu, semblable à un clairon, celle d'Arthur, un *dong* plus grave, plus lancinant, et ils avaient l'air de beaucoup s'amuser. Cette vision s'estompa, et Cook sortit de sa torpeur en entendant le carillon de la sonnette retentir, suivi du claquement de la porte-moustiquaire. Puis il entendit des bruits de pas qui s'éloignaient sur l'allée de graviers. Il s'ébroua et tenta tant bien que mal de s'asseoir. La seule lumière dans la pièce émanait de la petite lampe de table à côté du canapé. Il faisait nuit noire. Des deux mains, il se massa le cuir chevelu, ressentant simultanément l'ivresse et la gueule de bois, le tout rehaussé par l'épuisement résultant d'un long sommeil inutile. Sa bouche avait un goût amer et sec, et son dos nu le démangeait d'avoir été malencontreusement en contact avec la surface rugueuse du canapé. Il se gratta, gémit en se rétablissant sur ses pieds et maudit doucement le Créateur de s'être reposé le septième jour, au lieu de rectifier toutes les désolantes erreurs qu'Il avait commises les six premiers. Le temps qu'il arrive à tâtons jusqu'à la porte d'entrée, le sonneur était parti, et une voiture de police s'éloignait de la maison. Il ouvrit la porte pour lui courir après, mais une soudaine douleur au ventre l'obligea à s'arrêter, et il resta planté là, à regarder le véhicule s'enfoncer dans la campagne sombre, puis disparaître.

À ses pieds, de l'autre côté de la moustiquaire, gisait une grande enveloppe en papier kraft. Il se pencha avec précaution pour la ramasser, s'accroupissant de manière à maintenir sa tête bien droite. En l'emportant dans le séjour, il eut vaguement le souvenir d'avoir entendu des petits coups tapotés en même temps que, ou peut-être juste avant le coup de sonnette. Le lieutenant Leaf, ou la personne qui était venue, avait dû frapper aux carreaux, juste au-dessus du canapé. Cook tressaillit – son corps affalé, associé à la bouteille vide de Bourbon sur la table basse dont l'étiquette était ostensiblement tournée vers la fenêtre, avaient dû constituer un sacré spectacle. Parfait !

À la lueur de la lampe posée sur sa table basse, il lut la mention griffonnée sur l'enveloppe, d'une écriture féminine qui semblait naturellement maladroite et non pas altérée sous l'effet d'une hâte ou d'une nervosité particulières : « Pour Jeremy Cook ». L'enveloppe avait été fermée, mais quelqu'un l'avait décachetée. Il hocha la tête, y voyant là le résultat du manque de délicatesse du lieutenant Leaf. À l'intérieur, il y avait six feuilles de papier – les pages photocopiées d'un magazine à l'évidence pas assez satisfait de son contenu pour faire figurer son nom en haut ou en bas de la page. Il y avait cependant un titre sur la première : « Le Contrepoint de l'humanité ». L'auteur se nommait Merlin Flexible. Malgré son état, Cook décrypta en quelques minutes le pseudonyme. D'un côté, il y avait le prénom et sa proximité avec la Table Ronde ; de l'autre, le nom et sa composante « flexible » qui renvoyait forcément à son opposé rigide, *stiff* en anglais. Il espérait que la suite serait aussi facile à comprendre. Un bref message attaché à la première page indiquait : « Voici l'histoire dont je vous ai parlé, Jeremy. Adelle Stiph. »

Cook sentit son estomac se tordre tandis qu'il commençait sa lecture, pressentant que, par cet acte, il s'impliquait un peu plus profondément encore dans la vie et la mort d'Arthur Stiph, mais il lui était impossible de ne pas lire. Il ne saisit pas réellement les premières phrases, tant il était obnubilé par ces questions : combien de temps s'était écoulé entre le moment où Adelle Stiph avait rédigé ce message et celui où elle s'était tirée une balle ? Et que s'était-il passé durant ces quelques minutes ? Poursuivant sa lecture, il eut bientôt l'impression qu'Arthur s'adressait directement à lui, et ses pensées s'éloignèrent de la mort de sa veuve.

Les feuillets ne contenaient pas – comment auraient-ils pu ! – le nom de l'assassin de Stiph. Mais ils permettaient de restreindre le nombre des coupables potentiels en développant une dimension entièrement nouvelle. On y lisait l'histoire d'un professeur de philosophie vieillissant, diplômé de Yale, qui enseignait dans une petite université de Nouvelle-Angleterre, et qui, après avoir consacré cinquante années de réflexion à la problématique du bien et du mal, concluait que le seul mal véritable en ce monde était le fruit de l'inimitié entre les gens : le mal était ce que nous imaginions voir chez ceux que nous haïssions au plus haut point. Il n'y en avait pas d'autre sorte. Ayant conscience que cette conception soulevait certaines questions qui ne trouveraient pas de réponse entre les quatre murs de sa chambre, le héros de l'histoire, tel Jacob face à l'ange, décidait de prendre le problème à bras-le-corps. En l'occurrence, il se mit à entretenir d'étroites relations avec les gens qu'il détestait. Et, comme on pouvait l'attendre du pur produit d'un système scolaire de haut niveau, fort d'une grande tradition de sociétés secrètes, le héros montait un club constitué exclusivement des ennemis avec lesquels il s'était acoquiné, des individus qui, dans le monde, se détestaient au plus haut point. Ces convives appariés se rencontraient sur une base hebdomadaire « pour explorer ensemble avec inventivité les diverses teintes et nuances de la répulsion réciproque ». La réconciliation n'était pas l'objectif. En effet, elle était considérée comme impossible, et c'est dans cette hypothèse, curieusement, que les membres du club puisaient des forces. Si ces binômes en rencontraient parfois d'autres et prétendaient même tirer parti de cette expérience, l'unité de base des recherches était le binôme lui-même, dont chaque membre devait tenter d'analyser la chimie propre à l'antipathie. Les membres du club apprenaient de première main l'exécration et le dégoût ; ils découvraient les visions hostiles que les autres avaient d'eux – le panorama des objections qu'on pouvait leur opposer en tant que personnes. L'objectif principal du club était la connaissance, la compréhension des mécanismes d'une dyade fondée sur la haine. Là, assurait l'auteur à ses lecteurs, si nous aussi suivions cette trajectoire, nous révélerions « des mystères d'émotion non abordés par les classiques de la littérature, toujours consacrés à l'amour le plus sublime ».

L'histoire montrait ensuite comment le Club des contre-amis prenait de l'ampleur, puis elle se terminait sur l'idée que l'humanité, en dépit des apparences, était une et indivisible. D'intrigue, il n'y avait point. Le souci premier de l'auteur avait été la constitution (ainsi que la Constitution, car un tel document fut effectivement rédigé) du club, et non pas les aventures de ses membres.

Un des mots-clés de l'histoire était « contre-ami » – terme que, selon sa femme, Arthur avait utilisé le soir fatidique. Dans le monde du « Contrepoint de l'humanité », cette expression désignait l'ennemi désormais complice. Ce qui orientait Cook dans une direction d'enquête plus simple. Comme Stiph utilisait encore le terme avec sa femme, le concept devait être encore en usage pour lui – quand bien même il avait écrit cette nouvelle des décennies plus tôt. En un sens, le Club des contre-amis devait être encore actif. Stiph avait un binôme, un contre-ami. Toutefois, quelle que soit son identité, celui-ci n'avait pas parlé de sa rencontre prévue avec Stiph – ni à Cook, et probablement pas non plus au lieutenant Leaf (qui, même s'il adoptait avec lui un comportement bizarre sur à peu près tout, n'aurait certainement pas dissimulé un élément aussi important). Pourquoi le contre-ami de Stiph n'avait-il rien dit du rendez-vous ?

« Parce que c'est lui qui l'a tué », se répondit Cook à haute voix. Ayant prononcé ces mots, il put se rasseoir pour y réfléchir. Et à la réflexion, cela lui semblait être la réponse la plus probable.

Chapitre six

Lundi matin, Cook se réveilla au chant du coq. Il avala un petit-déjeuner particulièrement lourd et répugnant, puis prit sa voiture pour se rendre à Wabash, où il arriva à six heures trente, soit une demi-heure avant l'apparition des premières puéricultrices et des premiers enfants. L'étage était silencieux et paisible. Il passa devant son bureau et alla jusqu'au bout du couloir pour voir s'il avait du courrier. Parmi les plaisirs de la vie, Cook comparait volontiers le fait d'ouvrir son courrier du jour à celui de faire l'amour à une parfaite inconnue. Cette virée lui valut une poignée d'enveloppes porteuses d'espoir, mais rien qui justifiait de griller la priorité au coup de fouet du café matinal. En revenant dans le hall, il remarqua que Wach n'avait pas laissé le moindre message à son intention concernant le dossier de demande de subvention, ce qui signifiait qu'il l'avait trouvé de tout premier ordre. Cook en avait la certitude : c'était comme si Wach avait rampé à genoux jusqu'à lui, les yeux humides de gratitude.

Il entra dans son bureau pour la première fois depuis qu'Arthur Stiph y avait été déposé. Il y pénétra avec précaution, comme si on l'avait prévenu qu'une farce l'y attendait, et remarqua immédiatement que sa machine à écrire avait disparu. Cela s'était déjà produit une fois, et la machine avait été retrouvée dans le bureau d'Orffmann ; cet idiot l'avait empruntée sans permission ni explication. Peut-être Orffmann avait-il récidivé. Cook allait devoir attendre l'arrivée de Mary-la-secrétaire et de son passe. À moins que l'assassin manutentionnaire ne l'ait volée ou mise ailleurs ? Mais pourquoi ? Son magnétophone et sa radio étaient encore là. Il ne se souvenait plus si, le mercredi précédent, la machine à écrire était à sa place ou pas. La présence de Stiph avait accaparé toute son attention. Il haussa les épaules. Cela allait devoir attendre.

Il regarda son courrier. Un mélange typique de missives amicales (en particulier une brève lettre du rédacteur en chef du *Kartoffel Quarterly* indiquant que son article « Réponse à Hornswith : pour une analyse grammaticale parcimonieuse », dans lequel il prenait la défense d'un article d'Ed Woeps contre la critique d'un pauvre débile du nom de Hornsmith, serait publié dans la rubrique « Libres Contributions » du prochain numéro, sans que le nom de Cook ne soit divulgué, conformément à sa demande) ; de missives moins amicales (l'exemplaire d'une revue contenant deux articles d'un type qu'il avait croisé lors d'un colloque et qu'il n'aimait pas du tout) ; et de missives ennuyeuses (tout le reste).

Il se concentra donc sur l'objet de ses recherches du moment, les idiophénomènes. Il fit de la place sur son plan de travail et sortit cinq dossiers en carton de son tiroir du haut. S'y trouvaient des notes prises au jour le jour, la plupart par lui-même, mais aussi, certaines, par les auxiliaires, sur le comportement linguistique de cinq sujets de Wabash triés sur le volet, âgés de neuf à vingt-quatre mois. Les notes rendaient compte de l'évolution de leur apprentissage, banale et en dents de scie, de la langue, mais, plus important pour Cook, elles témoignaient des étapes de l'acquisition d'un vocabulaire intime condamné à une extinction rapide. Jusqu'alors, son informateur le plus intéressant, et de loin, avait été Wally, le fils d'Ed Woeps, âgé d'un an et quatre mois. Les notes de Cook montraient que le vocabulaire de Wally consistait actuellement en un certain nombre d'éléments conventionnels, retranscrits phonétiquement :

[ma(ma)…]	« maman »
[dada]	« papa »
[zø] (*intonation montante*)	« oiseau (en plastique, dans la baignoire) »
[su]	« chaussure »
[corː]	« encore »
[lalala(la)…]	« musique »

Mais Wally disait aussi des choses moins conventionnelles ayant des significations fixes, ce que Cook définissait comme des idiophénomènes. Cette seconde liste figurait dans ses notes :

[gaːː] (*intonation descendante*)	« c'est amusant »
[fː]	« regarde ça (et dis quelque chose à ce propos) »
[ndə] (*en montrant du doigt*)	« regarde ça ! »
[əpa] (+*paumes en l'air*)	« donne-moi ça »
[mbwiː]	????

Le dernier de la liste laissait Cook perplexe. Wally, au cours des observations, l'avait peut-être employé deux douzaines de fois, mais les contextes dans lesquels il avait été prononcé n'avaient pas permis de lui attribuer une signification certaine. Plusieurs énoncés semblaient impliquer les gens à proximité de Wally, comme s'il les montrait du doigt ou les appelait, mais Cook ne savait pas ce que l'enfant voulait dire. Bien entendu, ce dissyllabe *m'boui* aurait pu être du simple babillage. (Cette éventualité compliquait toujours les choses. Pourquoi le babillage ne s'arrêtait-il pas tout simplement quand commençait l'acquisition du sens des mots, de même que l'enfant cessait de ramper à partir du moment où il se mettait à marcher ? Pourquoi ?)

Il étudia les dossiers des quatre autres enfants et les compara entre eux. Il n'y avait aucune similarité dans leurs manières d'associer les sons aux significations, toutefois on retrouvait les babillements classiques et leurs acceptions que l'on pouvait s'attendre à retrouver pour cette classe d'âge. Les significations relevaient de la catégorie des demandes (ou des ordres) et de celle des expressions sociales. Il n'y avait jamais de formulation claire d'un fait qui ne soit pas immédiatement observable (« Uranus est une planète »), de prédiction (« Je parie que vous allez me donner des carottes au déjeuner ») ou de fantaisie (« On dirait que je suis un canard »). Il étudia les données mais ne parvint pas à en tirer grand-chose de plus. Il allait devoir être patient. Ce type d'études au long cours l'exigeait.

« Auriez-vous une agrafeuse ? »

Surpris, Cook leva la tête et vit Paula qui se tenait dans l'embrasure de sa porte. Il se sentit momentanément incapable de s'exprimer, idiot au sens médical du terme. À cet instant, même le *m'boui* de Wally Woeps lui parut imprononçable.

« Une agrafeuse ? répéta-t-elle, commençant probablement à douter de ses capacités mentales.

– Oui ! s'écria-t-il avec exubérance. Il tapa dans ses
mains avec enthousiasme et immédiatement se sentit
encore plus idiot. Il se mit à farfouiller dans ses tiroirs,
l'esprit emballé mais tournant à vide.

– Il y en a une *sur* votre bureau. Elle marche ?

– Oui ! s'exclama-t-il à nouveau. Oui ! »

Il s'empara de l'agrafeuse et la lui tendit avec assurance, comme si cela avait été son idée depuis le début
– comme si, en d'autres termes, le chemin le plus
rapide avait été de passer par les tiroirs. Il était aisé
d'imaginer ce qu'elle allait raconter aux autres puéricultrices : *Non seulement c'est un trou-du-cul, mais en
plus c'est un balourd, un ballot et un niais.*

« Je ne crois pas que nous ayons été présentés, dit-
elle. Je m'appelle Paula Nouvelles.

– Moi, c'est Jeremy Cook, dit-il d'une voix aussi
serrée que le jean qu'elle portait. Mais je vous en prie,
appelez-moi Jeremy.

Elle fit un tas bien propret de plusieurs feuilles de
papier en les tapotant sur le dessus du bureau, se tenant
tout près de lui, puis les agrafa.

– De quelle autre façon pourrais-je vous appeler ?

Il se racla la gorge.

– Professeur Cook. Trop d'auxiliaires m'appellent
comme ça.

– Pourquoi ne pas leur demander de ne pas le faire ?

– Je l'ai fait.

– Mais sans grande conviction, j'imagine.

– Non, en toute franchise, je l'ai fait.

Elle le dévisagea sans la moindre gêne, le toisant de
toute sa hauteur alors qu'il était assis.

117

– Je vois que vous m'avez rapidement identifiée comme étant une auxiliaire.

– Oui, je veux dire… Vous ne l'êtes pas ? Quelqu'un vous a désignée l'autre jour et…

– C'est juste que cela encourage à vous situer de *l'autre côté*, non ? Pareil pour le coup du *appelez-moi-par-mon-prénom*. C'est une sorte d'élitisme dissimulé, n'est-ce pas ?

Elle avait énoncé ces lieux communs de manière assertive, comme le font les Britanniques. Cook déglutit avec difficulté et se demanda si elle allait lui tirer les oreilles.

– J'essayais juste d'être sympathique », dit-il. Le ton qu'il adopta trahissait le sentiment qu'il éprouvait d'être acculé – plus à vrai dire, qu'il ne l'aurait voulu. Toutefois, le fait d'entendre le son plaintif de sa propre voix le tira de sa torpeur. Pas question qu'il la laisse lui balancer encore un truc de ce genre. Il avait hâte qu'elle s'adresse de nouveau à lui pour se livrer à une petite démonstration de force.

« Je suis navrée, dit-elle d'une voix douce, en lui délivrant un gentil sourire. Peut-être que vous l'avez été. »

Cook resta silencieux.

« Je vais en toucher deux mots aux autres, de la façon dont elles devraient vous appeler. Est-ce que ça aiderait ?

– Ce serait gentil. Mais comme vous n'êtes pas ici depuis longtemps, peut-être que vous…

– Ce n'est pas un problème. Je verrai ce que je peux faire. Merci pour l'agrafeuse. »

Elle la reposa sur la table et disparut avant qu'il trouve quelque chose à dire pour la faire rester un peu plus longtemps, ce que d'ailleurs il ne souhaitait pas. Il avait l'estomac noué. Pourquoi lui arrivait-il ce genre de choses ? Qu'est-ce qu'il y avait dans sa personnalité qui invitait les autres à l'agresser ? À moins que, dans son cas à elle, ce soit simplement un préjugé lié à l'histoire du parfait trou du cul. Si oui, avait-il fait bonne figure ? Elle ne lui en avait pas vraiment laissé l'occasion. Elle s'était pourtant montrée aimable à la fin de leur conversation. Ou alors avait-elle fait semblant et s'était-elle intérieurement moquée de lui ? Dans ce cas, il redoutait ce qu'elle allait dire aux autres : *Devinez la meilleure, les filles, le trou-du-cul veut qu'on l'appelle Jeremy.* Mais peut-être pas. Oui, *relativement* aimable. Pantalon moulant, aussi. Peut-être fallait-il qu'il lui coure après sur le champ. Qu'il demande à en savoir plus à son sujet. Oui, il ne lui avait posé aucune question personnelle. Il se leva, décidé à la rattraper. Puis il se laissa retomber sur son siège. Il n'allait faire qu'aggraver les choses. Il fallait qu'il y réfléchisse et mette de l'ordre dans ses idées avant de lui adresser à nouveau la parole. De même que le lieutenant Leaf, elle l'avait surpris dans un moment de faiblesse. Il n'avait bu que deux tasses de café ce matin et son cerveau ne fonctionnait pas encore à plein régime. La prochaine fois, il s'assurerait d'être au sommet de ses capacités mentales – cependant, plus il essayait de comprendre son esprit et son corps afin d'alimenter et de prolonger les états de rendement optimal, plus ces moments semblaient raccourcir. Certains jours, il ne disposait que de trois ou quatre minutes au top.

Il entendit des bruits de pas dans le couloir et se crispa. Il repéra l'agrafeuse et s'y cramponna. Quand il vit que ce n'était que Woeps, il eut l'impression d'avoir vieilli de six mois.

« Bonjour Jeremy, dit Woeps, un sourire ranimant un peu son visage. Alors, on s'occupe ? »

Cook n'avait pas parlé à son ami depuis un certain temps, hormis les quelques mots échangés à l'enterrement, aussi eut-il l'impression d'en avoir pour des jours entiers de conversation avec lui. Il remarqua une bande Velpeau autour du pouce et du poignet de Woeps, et mit en œuvre une pratique de longue date qui consistait à éviter de lui demander ce qui avait bien pu se passer, de manière à ne pas le mettre dans l'embarras. En revanche, il évoqua les derniers développements du désastre qu'il appelait sa vie – sa « discussion » avec la veuve, le suicide qui s'en était suivi, sa carrosserie cabossée et la conversation avec Leaf. Il omit de mentionner son échange récent avec Paula.

« Helen m'a dit que tu avais appelé pour m'annoncer la nouvelle à propos de la femme d'Arthur. C'est terrible. J'ai essayé de te rappeler deux fois, plus tard, dans la soirée. Tu étais en vadrouille ?

– Oui. » En un sens, il avait été en vadrouille, songea-t-il tout en se voyant étalé sur le canapé tel Raskolnikov. « Tu la connaissais, Ed ? »

Woeps secoua la tête.

– Tu parles, je connaissais à peine Arthur. » Il s'interrompit quelques secondes. « Tu sais, Jeremy, tu devrais peut-être demander un congé pour te consacrer à plein temps à tout ça. »

Cook toussa, puis se rendit compte qu'il n'était pas certain de ce que Woeps avait voulu dire. « Qu'est-ce que tu entends par là ? demanda-t-il.

– C'est juste que cette affaire te colle aux basques, on dirait. C'est presque comme si elle te courait après. Dans ces conditions, je ne vois pas comment tu peux avancer dans ton travail.

Cook fut frappé par l'ironie de ces dernières paroles. Il s'était à de nombreuses reprises posé la même question au sujet de Woeps. Confronté aux calamités domestiques qui s'enchaînaient, comment Woeps pouvait-il continuer à être le linguiste plutôt productif qu'il était ?

– Puisque tu en parles, Ed, j'étais en train de revoir mes notes sur Wally. Son *m'boui* est encore un mystère.

– Qu'est-ce que tu as comme éléments ? »

Woeps posa son porte-documents et fit le tour du bureau de Cook pour regarder par-dessus son épaule. Cook indiqua le haut d'une des pages.

« Tu vois ? J'en ai enregistré quelques exemples spontanés qui ne relèvent pas du processus imitatif, mais jusqu'à maintenant…

– Qui ne relèvent pas du processus imitatif ? N'y a-t-il pas systématiquement une imitation ? D'un autre côté, qui par ici emploie *m'boui* ?

– Certaines nounous. Elles trouvent ça mignon, et elles corrompent le dispositif. Je leur ai demandé d'arrêter. Maintenant, regarde les contextes non verbaux. Dans six d'entre eux, il regarde quelqu'un, dans trois autres, il regarde l'aquarium, et il y a un cas où il regarde dehors, par la fenêtre. Les autres sont peu clairs. Tu vois, ce n'est pas suffisant. Je vais passer une bonne partie de la journée avec lui. » Il leva les yeux vers Woeps. « Est-ce qu'il en a prononcé ce week-end, Ed ?

Woeps porta une main à son visage et se caressa le menton tout en cherchant à se souvenir.

– Oui, il y en a bien un. Hier. Je lui donnais le bain. Je venais juste de rajouter de l'eau dans la baignoire, et il m'en a crié un.

– Et il t'a regardé ?

– Oui.

– En attendant une réaction ?

– Je pense.

– Et qu'est-ce que tu as dit ?

– J'ai dit… je ne sais pas, quelque chose comme "Oui, *m'boui* moi aussi".

– Qu'est-ce qu'il a fait ?

– Il a continué à le répéter en me regardant.

– Comme si tu n'avais pas compris le message ?

– Peut-être.

Cook consulta de nouveau ses notes.

– Bon sang ! fit-il. Je n'ai pas systématiquement consigné les données concernant la réaction des adultes. C'est important. Regarde Ed. » Il indiqua un des exemples. « Là, je lui réponds "poisson" et il ne dit pas *m'boui* ensuite. Mais ici – il indiquait un autre exemple – je ne dis rien, et il revient à la charge, comme pour dire "Bon sang, Jeremy, *m'boui,* alors toi, qu'est-ce que tu en dis ?"

– Je ne sais pas. C'est un terrain glissant.

– Mais tu ne doutes tout de même pas que cela ait un sens pour lui, si ?

Cook essaya de parler sans paraître sur la défensive. Il avait déjà vu cette peur de la contradiction qui figeait les échanges chez d'autres à Wabash lorsqu'il s'agissait de décrire une étude en cours. Milke, le charmeur de ces dames, était le pire à cet égard.

– Non, je ne crois pas. Mais… ma foi, avec les tout-petits, comment peut-on savoir que la signification demeure constante d'un jour sur l'autre ? Tu compares des données qui s'étalent sur une période de plusieurs semaines.

– On ne peut pas le savoir.

– Ou comment pouvons-nous être sûrs que nous n'avons pas changé le sens en l'étudiant, disons en introduisant une notion de récompense dont nous ne serions pas conscients.

– Ça non plus, on ne peut pas le savoir.

– Alors qu'est-ce qui nous reste ?

– Une science inexacte, dit Cook en haussant les épaules. Je ne vais pas en mourir.

– Il n'y a même pas de nom pour désigner ce que tu étudies.

– Si. J'appelle ça les idiophénomènes.

Woeps rit.

– Alors, ça tient la route ! Indiscutablement ! » Il sourit. « On se voit au déjeuner ?

– Bien sûr, Ed. »

Avec qui d'autre Cook pouvait-il prendre sa pause ici ? C'était bien sympathique de la part de Woeps de réserver son déjeuner à Cook pratiquement tous les jours de la semaine, alors qu'il s'entendait bien avec tout le monde à part Aaskhugh et qu'il pouvait passer un agréable moment avec n'importe qui. C'était comme une sorte de contrat tacite entre eux.

Cook entendit des bruits de pas et des voix, et vit Aaskhugh et Milke passer en se dirigeant vers leurs bureaux. Les quatre linguistes se dirent « Bonjour » exactement en même temps.

« Encore une chose, Ed, ajouta Cook au moment où Woeps pivotait sur ses talons pour s'en aller. C'est à propos d'Arthur. Sais-tu s'il avait des ennemis, ici ?

Woeps scruta le sol et réfléchit un moment.

– J'en doute, dit-il. Mais pourquoi poses-tu la question ? Si sa mort a été accidentelle, qu'est-ce que ça peut faire ? »

Cook fit signe à son ami de s'asseoir, après quoi il lui présenta l'univers du « Contrepoint de l'humanité ». Woeps écouta le résumé de l'histoire avec un étonnement taciturne.

« Et il venait là pour rencontrer un de ces gars, un de ces…

– Contre-amis. Oui. C'est ce que sa femme a dit.

Woeps resta un moment silencieux.

– Je n'ai pas la moindre idée de qui cela peut être. Aucun de nous n'était très proche de lui, mais il me semble que nous l'appréciions tous plus ou moins, et récipro-quement, je crois.

– Quand bien même la réciproque ne coule pas toujours de source.

– Certes, fit Woeps en se relevant de son siège. Cela arrive certainement parfois, des gens qui sont appréciés de personnes que eux n'apprécient pas en retour. Ça rend les choses un peu délicates. »

Le visage de Wach, puis le reste de son corps, apparurent dans l'encadrement de la porte.

« Jeremy, si vous n'êtes pas occupé, j'aimerais vous voir dans mon bureau.

– J'arrive, Walter. »

Wach hocha la tête. Ce qu'il continuait à faire tandis qu'il retournait dans le couloir. À l'évidence, il arrivait tout juste. Mary-la-secrétaire, arborant une nouvelle couche de maquillage, trottait à une dizaine de pas derrière lui.

« Je vais ouvrir l'œil et y réfléchir, Jeremy, dit Woeps. Ce serait une preuve évidente. »

Cook sortit derrière lui et referma la porte. « C'est tout ce qu'on a », dit-il et il regarda Woeps devant la porte de son propre bureau sortir les clés de sa poche, les faire tomber, se baisser puis se cogner méchamment le front contre la poignée en se relevant. Cook tressaillit et fit un pas dans sa direction.

« Ça va, Ed ?

Woeps lui adressa un sourire gêné.

– On ne peut mieux », répondit-il en déverrouillant sa porte.

Cook s'éloigna dans le couloir. En passant devant le bureau de Milke, il risqua un œil par la porte entrebâillée et constata qu'il était vide. Pourtant, l'odeur de tabac à pipe y était assez forte. Puis il aperçut Milke qui se tenait dans le bureau d'Aaskhugh, en train de bavarder avec lui. La seule chose que Cook entendit en passant fut : « …vois pas pourquoi ce fils de pute y coupe toujours », et il supposa, avec une marge d'erreur minime, que Milke parlait de Wach. Milke semblait nourrir pour celui-ci à peu près les mêmes sentiments que Cook, la seule différence étant que Milke en parlait constamment, et, d'ailleurs, souvent avec Wach lui-même. Milke était du genre querelleur. Ce qui restait un mystère aux yeux de Cook était la manière dont il arrivait à concilier cette personnalité avec celle du charmeur qu'il était censé être ? Peut-être n'était-il avenant qu'avec les femmes et agressif qu'avec les hommes. Stiph aurait-il pu être l'un de ceux avec qui il se serait disputé ?

Cook classa cette réflexion dans un coin de sa tête en arrivant au bout du couloir, à proximité du bureau de Mary-la-secrétaire, devant lequel il devait obligatoirement passer pour accéder à Wach. Sa dernière discussion avec elle n'avait pas été des plus agréables, mais il décida de ne pas en faire grand cas. C'était elle qui s'était comportée comme une gourde, c'était donc à elle qu'incombait la tâche de faire amende honorable.

« Il vous attend », annonça-t-elle en une tentative manifestement forcée d'adopter son style mollasson habituel. Cook ne l'en méprisa que davantage. Il aurait préféré de beaucoup qu'elle revienne à l'attaque ou qu'elle batte en retraite en lui présentant ses excuses plutôt que de suivre cette voie intermédiaire qui ne rimait à rien. Il fit le vœu silencieux de ne plus jamais lui adresser la parole et passa devant elle sans un mot.

Wach n'était pas dans son bureau. Cook fut soudain envahi d'une fureur destructrice. Pour la première fois de sa vie, il trouva une explication logique au vandalisme. Où était Wach ? Quel pauvre diable était-il en train d'espionner ? De quel droit convoquait-il les gens dans son bureau sans y être ? Il fit le tour de la pièce à la recherche d'un objet sur lequel reporter sa colère. Il commença par les rayonnages de livres et se rendit compte avec mépris que les dos de chacun d'eux étaient d'une virginité éclatante, ce qui impliquait qu'ils n'avaient, selon toute vraisemblance, jamais été ouverts. Puis sa furie retomba, et il s'assit. Il réalisa alors que s'il ne se mettait pas dans de meilleures dispositions, il risquait de dire ce qu'il ne fallait pas et de commettre l'irréparable. Il soupira et pianota des doigts sur l'accoudoir. Il entendit une chasse d'eau et Wach, comme propulsé par le bruit, ouvrit d'un geste énergique la porte qui lui offrait un accès privilégié aux toilettes, et hocha brusquement la tête en direction de Cook. Il s'assit derrière son bureau.

« Jeremy, j'étais à l'enterrement de Stiph vendredi. »

Il marqua une pause.

Cook le fixa.

« Je suis inquiet au sujet des récents événements. »

126

Cook ne releva pas. Où ce tyran voulait-il en venir ?

« Je pense que nous, ici, à Wabash, devons nous ressaisir. » Il plissa les yeux. « La métaphore est heureuse. Tout à fait heureuse. Nous *ressaisir*. Je veux que vous donniez une conférence au Rotary Club de Kinsey.

– *Quoi ?*

– Quelque chose de léger. Quelque chose d'optimiste, pour que les gens du bourg sachent que… Eh bien, nous sommes comme tout le monde.

– Mais pourquoi ?

– Je viens de vous dire pourquoi. Je pense que nous avons besoin d'être un peu plus proches de la communauté locale.

– Relations publiques, siffla Cook avec dégoût.

Pour souligner la naïveté de Cook, Wach ferma brièvement les yeux.

– Vous pourriez l'appeler ainsi. Je suis inquiet de la perception que les autochtones peuvent avoir de l'institut.

– Je sais que vous l'êtes.

– Ces temps-ci particulièrement, avec ce qui est arrivé à Arthur. Les gens commencent à jaser.

– Et je suis censé être votre émissaire.

– Émissaire de l'institut, Jeremy. Je souhaiterais que vous voyiez les choses sous ce jour. » Ses yeux se braquèrent implacablement sur Cook. « Votre image pourrait en bénéficier aussi. »

Cook lui renvoya un regard vide.

« L'enterrement, Jeremy. L'enterrement. » Il dévisagea Cook. « Bon sang de bonsoir, il faut que je vous fasse un dessin ? Vous êtes passé pour un imbécile à vous ramasser comme vous l'avez fait au cimetière.

– Je n'ai pas trébuché.

– En outre, vous êtes le touche-à-tout de la maison. Et vous n'êtes pas occupé en ce moment, si ?

– Bien sûr que si. Qu'est-ce que vous croyez ?

– Eh bien, sur quoi travaillez-vous alors ?

– Les idiophénomènes.

Wach sourit.

– Cela pourra attendre.

– Non. Il faut que j'observe le fils d'Ed aujourd'hui. Et demain. Et…

– Il *va falloir que ça attende*, Jeremy. Nous devons tous faire des sacrifices. C'est comme ça et pas autrement. Il y a des tas de choses que j'aurais envie d'entreprendre moi aussi, plutôt que ce que je suis obligé de faire… Je m'efforce d'accomplir mon devoir et j'aurais souhaité que vous vissiez les choses sous le même jour. »

Cook eut comme une envie de pleurnicher. Pourquoi Wach utilisait-il de telles formules ? Usait-il de ce style châtié au lit avec sa femme ? D'ailleurs, se mettait-il au lit ? Si oui, s'adressait-il aux draps, leur ordonnait-il au subjonctif de demeurer impeccables toute la nuit ?

« Je pense que traiter des noms serait de bon goût.

Cook étudia la fine moustache grise à l'allemande de Wach.

– Vous voulez dire "traiter de tous les noms" ? Balancer des insultes ?

– Non. Je songeais davantage à une étude onomastique. Les noms propres. Les noms de lieux. Les sobriquets. Savez-vous d'ailleurs que le terme *sobriquet* lui-même est intéressant. Il semble venir de *soubzbriquez* qui…

– Je sais.

– …littéralement signifie "petit coup sous le menton", que l'on voit apparaître dès l'an treize cent cinquante-cinq.

– Je sais, Walter.

– Ma foi, très bien. Vous voyez ? Vous en connaissez un rayon. Vous allez pouvoir nous ficeler quelque chose en deux coups de cuiller à pot. Par exemple sur *Hoosier*, ce drôle de terme pour désigner les natifs de l'Indiana. Les gens d'ici aimeraient bien qu'on leur en expose l'étymologie.

– Mais Walter, ce machin-là ne m'intéresse pas du tout. Je m'en tamponne le coquillard, de *Hoosier*.

– Je suis surpris, Jeremy. Je pense quant à moi que ce champ recèle pléthore de données.

– Des données, certes. De la théorie, non. C'est un désert.

– Quoi qu'il en soit, c'est pour le bien de Wabash. D'ailleurs, ça me fait penser à un autre sujet passionnant. Vous pourriez évoquer notre dette vis-à-vis des Indiens. J'ai pris la liberté de vous programmer pour leur rendez-vous dominical de la semaine prochaine.

– *Quoi !*

Wach leva une main, paume tournée vers Cook.

– Ça vous laisse presque deux semaines, Jeremy. Si vous vous y mettez, je pense que vous êtes capable de nous sortir un exposé parfait.

– Pourquoi ne pas vous y coller vous-même, Walter ?

Walter renifla avec dérision.

– Votre question en dit long sur votre ignorance de mes responsabilités. Elles sont extrêmement chronophages. » Il accorda à Cook un moment pour réagir. Puis ajouta : « J'ai calé une réunion des linguistes à dix heures et demie ce matin. Et l'on pourrait la qualifier de réunion de crise, en vue de se *ressaisir*. Nous avons perdu quelques enfants, vous savez. Nous en avons quatre de moins depuis ce qui est arrivé à Stiph, sans parler des parents qui retirent leur progéniture du programme. Maintenant, je veux pouvoir dire aux autres que vous êtes d'accord pour la conférence.

Il fixait Cook.

– Alors dites-leur.

– Bien. Encore une chose. Quand avez-vous vu pour la dernière fois le journaliste, Philpot ?

– Encore lui ? Mardi, dans le bureau de Mary, cinq secondes environ après que vous m'avez interdit de me charger de sa visite.

Wach fit la moue.

– On dirait que quelque chose vous chiffonne, Jeremy, ce matin.

– Ouais. Alors, où est passé Philpot ? Il est retourné à New York ?

– Nous l'ignorons. Il n'est pas revenu depuis mardi.

– Avez-vous appelé à son motel ?

– Non.

– Ça semblerait pourtant être la meilleure chose à faire.

– Ce n'est pas mon métier de courir après les journalistes. S'ils veulent venir ici, très bien, nous leur ferons visiter les lieux et jouerons cartes sur table. Nous n'avons rien à cacher. Mais je ne vais tout de même pas les poursuivre.

– Très bien. N'appelez pas à son motel. Continuez à vous demander où il est.

– *Devrais*-je appeler à son motel ? Appelleriez-vous à ma place ?

– J'ai vraiment beaucoup de mal avec le conditionnel, Walter. » Cook se leva. « Avons-nous terminé ?

130

J'ai des recherches *vraiment importantes* à faire sur les noms.

– Je devrais peut-être appeler le motel, se dit Wach en se levant à son tour pour raccompagner Cook à la porte.

– Bonne idée », marmonna Cook.

Il ouvrit la porte et tomba sur Aaskhugh. Mary leva la tête, l'air d'attendre quelque chose. Elle avait le visage cramoisi, comme après une bonne tranche de rigolade.

« On dirait que quelqu'un vous a fait une vilaine blague, Jay, dit Aaskhugh. Je viens juste de trouver ça collé sur la porte de votre bureau. »

Il tenait à la main un panneau aux lettres écrites à la main : *Chez Cook, Coiffeur.*

Wach se tourna vers Cook : « Qu'est-ce que je vous disais, Jeremy ? Hein, qu'est-ce que je vous disais ! »

Chapitre sept

« Il a une laryngite. »

Le visage de Cook se fendit d'un large sourire. C'était une très bonne nouvelle. Il avait remarqué, en s'installant avec ses collègues dans le bureau de Wach, que Clyde Orffmann était absent, c'est pourquoi il venait à l'instant de demander à Woeps s'il savait où était passé son voisin.

Son état allait peut-être empirer et la maladie devenir chronique. Son rire se ferait alors moins tonitruant. Peut-être même allait-il revenir avec une voix de castrat !

« À propos, Jeremy, poursuivit Woeps, j'ai discuté vendredi avec Clyde au sujet de sa demande de bourse. Il dit que tu l'as considérablement améliorée.

– Vraiment ?

– Oui. Après avoir relu le dossier une fois révisé par tes soins, il a constaté qu'un certain nombre de problèmes avaient été réglés. Il dit qu'il a maintenant bon espoir que la demande aboutisse, ce qui n'était pas le cas auparavant.

– Tu veux dire qu'il l'a rédigée sans y croire ?

– Apparemment, grâce à toi, il a changé d'avis.

Cook grimaça.

– Je n'arrive pas à imaginer qu'on puisse travailler correctement en ayant si peu de confiance en soi.

– Je vois ce que tu veux dire. Je pense qu'il se compare trop à toi. Il t'admire, tu sais.

– Vraiment ?

– Oh, oui. Vendredi, il m'a dit qu'il accordait beaucoup d'importance à votre amitié.

Cook fronça les sourcils.

– Mais de quoi parle-t-il, Ed ! C'est un… »

Cook dut s'interrompre, car Wach tapotait le dessus de son bureau avec un crayon pour attirer l'attention des linguistes. Cook trouva ce geste déplacé, car ils n'étaient que cinq dans la pièce, mais ses pensées retournèrent vite vers Orffmann. La nouvelle transmise par Woeps l'avait non seulement surpris mais lui avait également procuré un étrange plaisir. Ce qui prouvait que le mépris que l'on ressent à l'égard de quelqu'un ne nous empêche pas d'être sensible à la sympathie qu'il peut nous témoigner, même si tout le monde prétend le contraire. Cette constatation avait quelque chose de très triste.

« Je vous ai réunis ce matin, messieurs, pour vous sonder et recueillir des idées concernant l'avenir de l'institut Wabash. »

Wach marqua un silence. Un de ces silences qui plonge l'auditeur dans le doute, celui-ci ne sachant pas si on attend de lui qu'il reprenne la parole ou pas.

« Alors, quel est le problème ? demanda Milke avec assurance.

– Je n'appellerais pas cela un problème, Emory, fit Wach. Du moins pas pour l'instant.

– Et si vous étiez amené à le qualifier de problème à un moment donné, dit Milke, de quoi s'agirait-il ?

Wach répondit :

– Si nous ne faisons pas attention, si nous ne suivons pas de très près ce qui est en train de se passer, nous risquons bel et bien de nous retrouver dans la mouise.

– À savoir ? demanda Milke en haussant le ton avec impatience.

– Les… conséquences du triste sort d'Arthur Stiph, Emory. Je pense qu'il est temps de se… euh, de se ressaisir. Je suis navré. J'étais persuadé que vous saviez de quoi je parlais.

– Je sais que vous en étiez persuadé.

– Bien. Bien.

Wach promena son regard sur l'assemblée, heureux que la paix soit revenue. Cook se demanda si la réunion était déjà terminée.

– Pour un parent, ce n'est pas une décision à prendre à la légère, poursuivit Wach d'un ton solennel, de confier son enfant à un établissement. Ledit établissement doit être au-delà de tout reproche sur tous les plans. Depuis qu'Arthur est mort, ça jase beaucoup au sujet de Wabash. Les gens parlent, posent des questions. Nous avons désormais quatre enfants en moins. C'est une mauvaise nouvelle.

– Qui jase, Walter ? demanda Cook.

– Oh… les gens, j'en suis sûr. Ça jase, vous savez.

– Mais avez-vous eu personnellement vent de rumeurs ?

– Bien sûr. Je reçois quotidiennement des coups de fil des deux journaux de Kinsey et de la radio KWIN. Ils n'y vont pas par quatre chemins, je peux vous le dire.

– Mais les parents ? Est-ce qu'ils vous harcèlent ?

– Les parents, pas trop. Pas trop. C'est un point important. Je veux assurer l'ensemble des parents de notre amour pour les enfants et de notre bienveillance. Jeremy ici présent, je suis fier de l'annoncer, partage mon sentiment au point d'avoir accepté de donner une conférence la semaine prochaine au Rotary Club de Kinsey, dimanche matin, dans le cadre des petits-déjeuners « Prière et Pancakes », un exposé intitulé "Noms dans l'Indiana du Sud". »

Cook resta impassible sous les regards interrogateurs de ses collègues.

« Je souhaiterais entendre d'autres suggestions du reste d'entre vous.

– Je suggère que nous continuions nos activités, lança Milke, de notre mieux. Que nous fassions un peu plus attention à notre réserve. Pour les magnéto-phones, nous n'avons plus que de la bande soixante-quinze millimètres jusqu'à la fin du mois. C'est inadmissible. »

Wach avisa Milke en hochant la tête, comme pour dire qu'il était satisfait de cette réaction mais n'allait pas y donner suite dans l'immédiat. Il attendait que quelqu'un d'autre prenne la parole.

« Je ne pense pas que nous puissions y faire grand-chose, dit Woeps, ni que nous soyons obligés d'en éprouver le besoin. Des quatre enfants qui ont quitté Wabash, n'y en a-t-il pas deux qui sont les enfants McConklin ?

– C'est exact, dit Wach.

– Ils allaient partir de toute façon. Leur père vient d'être muté.

Il parla doucement, en homme de raison qu'il était. Cook adorait cela. Il se tourna vers Wach. Qu'allait-il bien pouvoir rétorquer ?

– Techniquement, vous avez raison, Ed, dit-il.

– Qui sont les deux autres ? s'enquit Aaskhugh.

135

– Emil Bumpers… commença Wach.

Milke éclata de rire.

– Bon débarras. J'en avais marre d'entendre les autres mômes se plaindre de lui.

– Se plaindre d'Emil ? demanda Aaskhugh. Pourquoi ?

– Parce qu'il est tout le temps en train de les embrasser. Les garçons aussi bien que les filles. C'est le gamin le plus détesté de Wabash.

– Emory a raison à ce sujet, dit Woeps.

– Et Buford Wilson, dit Wach.

Milke rigola à nouveau, se pencha en avant et tapota bruyamment sa pipe contre le cendrier propre qui était sur le bureau de Wach.

– Cette tête de chou-fleur ? dit-il. Il ne dit jamais rien de toute façon. Il est très en retard par rapport aux autres.

– D'autres suggestions ? », demanda Wach.

Milke gloussa et chuchota quelque chose à Aaskhugh. Wach rougit.

« Écoutez-moi bien, Emory, dit-il d'une voix haut perchée ; ses courts cheveux gris paraissaient se dresser tout droit. Arrêtez d'apprendre aux jumeaux des mots qui n'existent pas. Leur mère m'a encore téléphoné la semaine dernière. Je vous ai déjà prévenu à ce sujet. »

Milke esquissa un sourire.

« Mais j'ai arrêté, Walter. Enfin, presque. Résultat, on loupe une occasion formidable de voir comment les jumeaux se transmettent des bribes d'une langue bien à eux. Je n'ai rien fait qui soit contraire à l'éthique.

– Eh bien, vous devriez prendre garde et laisser tomber… comme on dit. »

Wach avait ajouté cette dernière formule dans l'intention de détendre l'atmosphère.

Cook observa Milke. S'il s'avérait qu'il était le contre-ami et l'assassin de Stiph, alors une condamnation lui ferait assurément quitter Wabash, et il n'y aurait plus que Cook pour faire la guerre à son patron. À cet égard, Milke lui était donc sans aucun doute utile. Mais dans d'autres domaines – son charme, sa barbe, sa pipe, son agressivité sexuelle – Cook ne regretterait pas son absence.

« J'ai une proposition à faire, dit Cook. Supposez que nous cherchions qui a tué Arthur. Une justice expéditive en la matière aurait un effet salutaire pour notre réputation, vous ne pensez pas ?

– Oh que oui, fit Milke.

– Comment souhaitez-vous que nous procédions ? demanda Aaskhugh.

– Est-ce que la police… commença Wach.

– Vous serez tous contents d'apprendre, fit Cook, que l'affaire est simplifiée du fait que c'est probablement l'un d'entre nous qui a commis ce meurtre. Clyde est également suspect, bien entendu.

– Emory et moi en discutions vendredi, fit Aaskhugh. Nous nous disions que le champ des suspects était infiniment grand.

– C'est vous qui disiez ça, protesta Milke. Pas moi.

Cook secoua la tête.

– Le lieutenant Leaf m'a confié que l'entrée par effraction est bidon. »

Il leur résuma rapidement les remarques de Leaf.

« Le meurtrier avait une clé du bâtiment et a voulu dissimuler ce fait. Combien de personnes ont les clés, Walter ?

Wach se racla la gorge.

– Je vais vous dire ce que j'ai dit à la police. Chaque linguiste de l'équipe a une clé, et bien sûr, j'en ai une moi-même. C'est tout. Sauf si la négligence a conduit à ce que des doubles aient été fabriqués.

– Des raisons de croire que cela soit le cas ? demanda Cook. Un cambriolage par le passé ?

– Non, dit Wach.

– C'est intéressant de savoir qu'Arthur avait une clé, dit Aaskhugh. Si elle était dans sa poche quand il s'est fait tuer, alors le tueur a pu la récupérer de cette manière. Et donc le nombre de suspects grimpe à nouveau en flèche.

Cook secoua la tête.

– Si le tueur a pu récupérer la clé de cette manière, cela voudrait dire que ce n'est pas quelqu'un qui l'a habituellement, ce qui impliquerait qu'il n'aurait aucun intérêt à simuler un cambriolage.

Woeps étouffa un petit rire.

– Sauf s'il s'est dit "Je vais faire croire à un cambriolage, laisser des traces maladroites, et comme ça tout le monde se dira que j'ai une clé et que je suis de la maison, et que *j'essaye* de faire en sorte qu'on pense le contraire, comme ça personne ne saura qui je suis vraiment : un gus de passage tombé sur ce type et qui a trouvé la clé du bâtiment d'à côté dans sa poche."

– Je suis perdu, là, fit Aaskhugh.

Cook secoua à nouveau la tête.

– Trop malin, dit-il à Woeps. Peu de gens sont capables d'élaborer un tel plan – il s'efforça de ne pas se tourner vers Aaskhugh –, encore moins après avoir accidentellement tué quelqu'un. En outre, c'est inutile. Utiliser tout simplement la clé de la porte d'entrée aurait eu le même effet que laisser les traces d'un cambriolage volontairement maladroit.

– C'est vrai », rajouta Woeps.

Le silence s'installa, les hommes se dévisageaient avec anxiété. Les yeux de Cook accrochèrent ceux de Milke, et l'espace d'un instant il eut l'impression que celui-ci parvenait à scruter son âme. Ne voulant pas se dégonfler, il durcit son regard jusqu'à ce que Milke fronce les sourcils et se détourne, l'ombre d'un étrange sourire pointant sous sa barbe noire.

Wach brisa le silence.

« Jeremy, vous dites que vous avez parlé récemment au lieutenant Leaf ?

– Vendredi.

– Et il travaille sur la base de ce que vous venez de nous annoncer ?

– Il affirme assez ouvertement qu'il y a six suspects : nous cinq et Orffmann.

– Mais où est Clyde, d'ailleurs ? demanda Aaskhugh.

– Il a...

– Je sais qu'il a une laryngite, mais on ne reste pas chez soi pour si peu.

– Sous-entendez-vous là qu'il y aurait anguille sous roche, Adam ? demanda Woeps.

Aaskhugh fit son sourire malicieux – le seul et unique sourire dont il était capable.

– Ma foi, il y a effectivement anguille sous roche, non ? Cela mérite certainement qu'on en discute.

– Moi, je trouve qu'il y a anguille sous roche quand vous dites ça, dit Milke.

– Je vous retourne la politesse, rétorqua Cook à Milke.

Tout le monde pouffa, mais Cook trouva que l'écho de ces rires sonnait creux contre les murs, comme ceux de pirates coincés dans une grotte.

– Je me demande pourquoi ils n'ont pas prévu de passer plus de temps ici, alors, dit Wach, tout bas, et à l'intention de personne en particulier.

– Les policiers ? demanda Aaskhugh.

– Oui. S'ils pensent que c'est l'un de nous qui a fait le coup.

– C'est vraiment bizarre, non ? fit Milke. De côtoyer l'assassin au quotidien. Vous vous rendez compte, l'un d'entre nous est un vrai trou-du-cul. »

Cook dévisagea soudainement Milke, Wach, puis Aaskhugh et Woeps.

« On devrait peut-être régler ça entre nous, faire venir Clyde, se réunir tous les six et tirer tout ceci au clair.

Milke exhiba ses dents à travers sa barbe.

– Cette idée me plaît. Elle me plaît même beaucoup.

– Que suggérez-vous au juste, Jeremy ? demanda Wach.

– Réunissons-nous et mettons les choses à plat. Présentement, j'aimerais bien dire deux mots au type qui a écrasé Arthur et s'est enfui, et m'assurer qu'il m'entend bien.

– Et le trou-du-cul qui a fait ça risque de laisser échapper un indice sous la pression, s'empressa de rajouter Milke.

– Cela pourrait être intéressant, dit Aaskhugh. On en apprendrait beaucoup sur chacun d'entre nous.

– Cela me semble tout à fait déplaisant, fit Woeps. Désolé, Jeremy.

– C'est une idée ridicule, dit Wach. Nous n'avons pas le temps pour ce genre d'enfantillages.

Cook répondit :

– Nous pourrions faire ça en dehors des heures de bureau.

– C'est inacceptable, dit Wach.

– Mais si vous voulez que l'assassin d'Arthur soit découvert et arrêté en fanfare…

Wach tapota avec son crayon.

– Je suis particulièrement étonné d'entendre cette idée sortir de votre bouche, Jeremy. Vous qui êtes toujours à traîner les pieds quand je vous convoque pour une réunion.

– Là, c'est différent.

– Il aime se plaindre, dit Milke en souriant amicalement à Cook.

Cook gesticula sur son siège. Wach secoua la tête.

– Vous êtes tous libres, bien sûr, de faire ce qui vous chante. Mais en tant que directeur de l'institut, je n'autoriserai pas cela sur le temps de travail. Cela ferait désordre si les gens apprenaient la tenue d'une telle réunion. Ça pourrait même nous mettre dans un sacré pétrin. Nous avons déjà assez de problèmes comme ça. Et je crains d'avoir à vous en exposer un autre à présent. » Il prit à nouveau l'initiative d'installer un silence pesant, qui ne fit que rendre Cook plus impatient de tourner en ridicule ce qu'il allait dire. « Ce journaliste, Henry Philpot, semble avoir disparu. Certains d'entre vous l'ont rencontré, si je ne m'abuse. Je sais que c'est le cas de Jeremy. Il a eu la gentillesse de lui faire visiter Wabash dans la matinée, mardi dernier. L'avez-vous rencontré, Adam ?

– Oui, répondit Aaskhugh. Un type sympathique, d'une grande modestie.

– Et vous, Ed ?

– Non, pas vraiment, je l'ai juste croisé.

– Emory ?

– Pareil.

– Je crains, poursuivit Wach, que monsieur Philpot n'ait plus été aperçu par qui que ce soit depuis mardi. Cela fait maintenant presque une semaine. J'ai bien sûr téléphoné à son motel. Le gérant m'a confirmé

141

qu'il l'avait vu pour la dernière fois mardi. Et cependant, il n'a pas officiellement quitté le motel. Alors j'ai appelé chez lui à New York et parlé à sa femme ce matin. Il n'y est pas non plus. Je pense avoir réussi à la questionner sans l'inquiéter. J'ai donc contacté la police. Ne soyez donc pas étonnés si vous les voyez dans les parages pendant la journée.

– Que pensez-vous qu'il lui soit arrivé ? demanda Woeps.

Wach secoua la tête.

– Je ne peux pas me prononcer là-dessus, Ed. Je n'en ai aucune idée.

– Il y a quelque chose qui cloche, là, dit Aaskhugh, et tous les yeux se tournèrent vers lui. Je sais de source sûre que le gars a appelé l'une des puéricultrices jeudi ou vendredi… oui, vendredi, le jour de l'enterrement. Il s'agit de Dorothy Plough. La plupart d'entre vous la connaissent, c'est la grande, avec un profil un peu chevalin. »

Tous hochèrent la tête, à l'exception de Cook, qui resta parfaitement immobile.

« Elle m'a dit qu'il lui avait téléphoné pour lui poser quelques questions sur l'institut, continua Aaskhugh.

– Il a appelé… il l'a appelée vendredi ? fit Wach, perplexe.

– A-t-il expliqué pourquoi il n'avait pas remis les pieds ici ? s'enquit Woeps. C'est étrange de sa part de se présenter en début de semaine pour interroger les gens et ensuite de ne plus donner de signe de vie jusqu'à ce coup de fil.

– Il y a effectivement quelque chose qui cloche, dit Aaskhugh. Je ne sais pas s'il a donné une explication ou non. Nous pourrions la faire venir pour qu'elle nous en parle.

142

Il se leva de sa chaise.

– Je ne crois pas qu'elle soit là aujourd'hui, dit Cook.

– Faux, objecta Milke. Nous l'avons croisée en venant ici, Jeremy.

– Au temps pour moi, fit Cook calmement.

– Je vais la chercher », dit Aaskhugh.

Le temps qu'il la ramène, les quatre hommes restèrent assis en silence, à l'exception de Woeps qui, par deux fois, lâcha un « Curieux… »

Quand Dorothy entra dans la pièce avec Aaskhugh, Cook tâcha de se dissimuler derrière Woeps afin de déjouer toute association subliminale ou éventuelle réminiscence. Elle parla nerveusement, donna une description hésitante de l'appel téléphonique, très décousue et riche en rectifications. Cook se demanda pourquoi elle avait si peur. Était-ce Aaskhugh ? Non, elle l'avait traité de crétin. C'était Wach le responsable. Avec lui à la tête de Wabash, régnait la crainte de la hiérarchie. Certes, Cook était navré pour Dorothy, cependant il fut assez content de voir que lorsqu'elle eut fini de parler, personne ne voulait rien savoir de plus à propos de cet appel, et il n'y eut que quelques questions pour la forme.

Wach la remercia et la congédia en disant qu'il y « avait certainement là matière à réflexion » et qu'il transmettrait aux policiers lorsqu'il les verrait. Il semblait sur le point de mettre un terme à la réunion quand Woeps prit la parole.

« Il y a encore une question que je souhaiterais poser.

– Allez-y, Ed, fit Wach.

– Je n'aime pas voir l'œuvre d'un homme mourir avec lui, particulièrement quand il existe dans son entourage des gens susceptibles de la mettre en forme en vue de la faire publier. Je me demande s'il y a quoi que ce soit que nous pourrions faire sur ce plan. Arthur travaillait-il encore sur l'acquisition de termes indicateurs de valeur ?

– Je ne pense pas, répondit Wach. Je crois qu'il avait laissé cela de côté. Et, pour être tout à fait sincère et honnête, et ne rien vous cacher, j'étais assez curieux de savoir où il en était, et je m'apprêtais à le questionner à ce sujet quand…

– Il menait des recherches sur des procédés linguistiques associés à l'estime, dit Milke. Comment un enfant de quatre ans parle-t-il à quelqu'un qu'il apprécie, et comment parle-t-il à quelqu'un qu'il n'aime pas ? Comment fonctionne l'acquisition des outils nécessaires pour déguiser ses sentiments ? Les enfants sont-ils véritablement plus honnêtes que les adultes ? Des questions de ce genre.

– Avait-il avancé sur cette voie ? demanda Woeps.

– Pas tellement, répondit Milke. Il m'a dit qu'il s'intéressait particulièrement aux conséquences des travaux de Ruhig, vous savez, au *Deutches Forschungsinstitut für Kindersprache und Entwicklungspsychologie* à Munich. Ruhig affirme que les enfants jusqu'à l'âge de deux ans ont un sens instinctif de la *qualité* chez les gens. Ils ont tendance à aller vers les "bons" et à éviter les "mauvais". Et puis, à un moment donné, après leur deuxième anniversaire, ce sens moral inné est corrompu par la socialisation. Arthur à l'évidence croyait cela et voulait explorer le rôle de la langue dans cette détérioration. Mais comme je l'ai dit, il n'en était qu'aux balbutiements.

– Pensez-vous que cela vaudrait le coup qu'on jette un œil à ses notes ? demanda Woeps.

– Ça me paraît complètement inutile, dit Aaskhugh. Particulièrement ces fadaises rousseauistes. Je n'irais pas perdre mon temps avec ça. Mais bon, j'ai toujours jugé suspects les travaux d'Arthur.

– C'est gentil à vous de dire ça, rétorqua Woeps avec une amertume soudaine qui étonna Cook.

Woeps toisa Aaskhugh comme s'il avait été un crachat sorti de sa propre bouche.

– J'ai plus de respect pour ce genre de chose qu'Adam, dit Milke. Mais tout mon temps est pris par mon projet sur la négation. Et vous, Ed ?

Woeps se déplaça sur son siège.

– Ma foi… Je ne pensais pas véritablement à moi pour le boulot. J'ai plusieurs mois de travail qui m'attendent sur ce projet de concurrence dialectale, et…

– Manifestement chacun a envie de poursuivre ses propres travaux, fit Wach dans un rire sans joie. C'est sain. Très sain. Et ces projets ont été approuvés par nous tous, ce qui n'était pas le cas de ceux d'Arthur. J'ignorais tout de ce qu'Emory vient de décrire. »

Dans le silence qui suivit, Cook commença à se sentir oppressé par les regards braqués sur sa personne. Il ne restait plus que lui.

« Jeremy ? », fit Woeps.

Cook soupira.

« J'y jetterai un œil. J'essaierai de voir ce que je peux en tirer. »

Wach commença à s'emporter :

« Certainement pas aux frais…

– Pas de soucis, Walter, dit Cook avec la jovialité de l'employé conscient de faire partie d'une équipe. La *conférence* reste ma priorité. »

Wach sourit avec hésitation, balaya le groupe d'un regard pour s'assurer qu'il n'y avait pas d'autres questions et ajourna la réunion. Lorsque Cook et les autres sortirent du bureau de Wach, ils trouvèrent le lieutenant Leaf en train de discuter avec Mary-la-secrétaire. Il se retourna et regarda passer les linguistes en file indienne, adressa un sourire à chacun d'entre eux en les saluant par leurs noms : « … et le professeur Aaskhugh, et le professeur Woeps, et le professeur Cook. »

Il fit un clin d'œil à Cook en s'adressant à lui et se tourna vers Wach, qui se tenait sur le seuil de son bureau.

« Et ce bon professeur Wach », dit-il en s'avançant vers lui.

Cook vit le pétulant inspecteur serrer énergiquement la main de Wach et le reconduire dans son bureau avant d'en claquer la porte.

Cook et Woeps déjeunèrent *Chez Max*, et discutèrent onomastique, idiophénomènes, diphtongues centralisées et homicide involontaire. Woeps fit remarquer que leurs collègues semblaient ne pas avoir entendu parler du Club des contre-amis et supposa, à juste titre, que Cook ne leur avait encore rien dit de la nouvelle de Stiph dans l'espoir que l'un d'entre eux exprime son antipathie envers ce dernier et, du même coup, trahisse une possible implication dans sa mort. De nouveau, Woeps s'excusa de ne pas avoir soutenu Cook dans sa proposition de réunion à cœur ouvert entre les suspects, qu'il trouvait « non orthodoxe et menaçante ». Il expliqua qu'il craignait que les gens disent des choses qu'ils regretteraient par la suite. Cook concéda que l'idée était quelque peu étrange et confia qu'elle lui était venue dans le vif de la conversation.

Tandis qu'ils réglaient l'addition, Woeps demanda à Cook ce qu'il attendait de son exposé au Rotary Club de Kinsey, à quoi Cook répondit : « Peur, nausée et dégoût de soi. » Quand Woeps lui proposa son aide, Cook la déclina en disant que c'était sans espoir. Au même moment, à croire qu'elle n'attendait que ces mots pour apparaître, Paula fit son entrée *Chez Max*, bien droite, scrutant la clientèle. Cook, qui était près de la caisse, l'étudia avec attention. Aussi lui fut-il impossible de manquer Emory Milke qui passa la porte juste après elle et plaça une main délicate dans son dos pour la guider de manière chaleureuse vers une table située dans un coin. Milke se déplaçait comme un coq dans sa basse-cour. Tout en marchant, il se pencha en avant et souffla quelque chose à l'oreille de Paula. Elle bascula la tête en arrière et rit en silence. Cook, qui avait assisté à tout cela, eut l'impression d'être devant un mauvais film.

« Ah, fit Woeps, la suivant du regard. Une cible pour Cook. »

Cook soupira, hocha la tête et se dirigea directement vers la porte. Il ne voulait pas que Milke sache qu'il l'avait vu avec elle.

« C'est bien de te voir malheureux de temps en temps, Jeremy. Ça m'évite de trop t'envier ton célibat. Elle vient d'arriver, non ?

– Ouais. De l'université de Los Angeles. Elle fait un doctorat en linguistique.

Ils sortirent sur le parking et plissèrent les yeux, éblouis par le soleil.

– Ton tour viendra. Emory va passer pour un lourdaud. Elle vient juste de rejoindre l'institut.

« – Il a pris un bon départ.

– Toi aussi.

– Certes, mais pas avec elle. »

En fait, avant la course, quelqu'un avait volé les starting-blocks de Cook, lui avait mis un bandeau sur les yeux, indiqué une mauvaise direction et noué ses lacets ensemble. Mais il allait bien se garder d'accorder du crédit à cette version des faits en la racontant à son ami.

De retour à Wabash, Cook respecta son vœu de ne plus jamais adresser la parole à Mary-la-secrétaire et, profitant de son absence, s'empara en douce du passe négligemment posé sur son bureau. Ce faisant, il eut l'impression d'être un homme dont la vie était devenue d'une inquiétante complexité. Il se rendit dans le bureau d'Orffmann et ne trouva que la petite machine à écrire portative de ce dernier, mais pas la sienne, sa bonne vieille Royal bien bruyante. Il passa de bureau en bureau, frappant tout d'abord aux portes de ceux qu'il pensait inoccupés, mais ne trouva rien de plus. Il regarda même dans le bureau de Stiph et dans celui de Sally Good, au rez-de-chaussée. Encore un rapport à faire à Wach, se dit-il, contrarié. Il déposa furtivement la clé sur le bureau de Mary-la-secrétaire et, à quelques secondes près, manqua de se faire repérer par Aaskhugh.

Il retourna ensuite dans son bureau et se mit à feuilleter des livres, entamant une recherche sans passion pour sa conférence sur les noms. Il apprit qu'il y avait diverses hypothèses quant à l'étymologie du nom *Hoosier*, soit dérivé de la question « *Who's'ere* »[1] posée par le plouc bourru, peu accueillant, typique des

---

1. « *Qui v'là ?* » (N.d.T.)

premiers colons de l'Indiana, soit d'une autre question que ledit plouc bourru posait lorsque, entrant dans un bar où d'autres ploucs bourrus s'étaient récemment battus en défonçant des crânes et en crevant des yeux, il tombait sur un bout de chair gisant sur le sol crasseux et demandait : « *Whose ear ?* »[1] D'où le terme *Hoosier*. CQFD.

Était-ce de cela que Wach voulait qu'il parle ? Comment pouvait-il effectuer une recherche sur de telles fadaises sans que sa circulation sanguine ne ralentisse jusqu'à asphyxier son cerveau ? D'autant qu'il savait déjà ce qu'était un Hoosier. Dans son lexique personnel, on trouvait la définition suivante : « *Hoosier* : subst, étymologie obscure et ennuyeuse. Crétin de Blanc assorti d'une grasse épouse blanche qui mange des légumes verts, accroche un silencieux à son pot d'échappement à l'aide d'un cintre, et laisse traîner des réfrigérateurs dans son jardin pour que des enfants s'étouffent à l'intérieur. »

Il s'enfonça un peu plus dans son siège et posa les pieds sur son bureau. Il se mit à réfléchir à la réunion des linguistes qui avait eu lieu le matin. Elle n'avait mené nulle part. Ou plutôt, elle avait conduit à ce que tous se gardent de tirer la moindre conclusion fondée sur de simples spéculations. Il était aisé, par exemple, de penser que quiconque s'opposait à son idée d'une réunion d'homme à homme, où fatalement on allait s'étriper et arracher des yeux, réagissait de peur de passer pour le meurtrier qu'il était ; d'un autre côté, quelqu'un qui acceptait l'idée d'une telle réunion pouvait tout autant être considéré comme suspect – il se dénonçait peut-être par une inversion toute bête

1. « *À qui, ct'oreille ?* » (N.d.T.)

(Aaskhugh aurait bien été du genre à le faire et à trouver ça brillant). Peut-être encore, en tant que contre-ami *stiphien*, goûtait-il ce genre de chose, et voulait-il mettre en pratique ses théories avec un *nouveau* groupe, l'autre moitié de sa dyade détestable ayant péri. Toute la réunion n'avait été que méfiance et accusations larvées. Il lui fallait davantage de données. Il fallait qu'il *écoute*. Le coupable se savait coupable. Il savait ce qu'il avait fait. En tant que linguiste, Cook, lui, savait que chaque jour, dans presque chaque phrase, les gens livraient régulièrement (quoique souvent par inadvertance) des informations à leur auditoire sur ce qu'ils savaient. Il allait devoir se montrer patient.

Il regarda ses livres. Il devait continuer à travailler sur les noms. Il tapota son bureau du bout des doigts, soupira, puis sortit le dossier Wally Woeps d'un tiroir. Il introduisit une cassette dans le magnétophone placé à côté de lui et s'apprêta à l'écouter tout en suivant les notes qu'il avait prises.

Demain *Hoosier* sera toujours là, se dit-il. Mais pas *m'boui*.

Chapitre huit

On retrouva le corps de Henry Philpot dans la Petite Wabash, à une quinzaine de mètres en aval du Pont de Darwin. On découvrit également la bonne vieille Royal de Cook. Elle avait été attachée au corps du journaliste, sans doute pour le lester, mais la corde employée s'était distendue et avait glissé. Résultat, tandis que la machine à écrire restait sur le fond sablonneux du cours d'eau, le torse de Philpot, empli de gaz, s'était redressé à la verticale, et sa tête oscillait de gauche à droite à la surface, telle une bouée arrimée à son ancre. Martha Simpkins, la mère des jumeaux placés sous la tutelle scientifique et le regard attentif de Milke, arriva en avance jeudi après-midi pour venir récupérer ses enfants. Musardant quelques minutes sur le pont qui offrait généralement une vue assez agréable, elle fut la première à apercevoir la tête de Philpot.

Cook avait quitté le travail tôt ce jour-là, s'était nourri chez lui de sa manière très personnelle et était revenu à Wabash sur le coup de dix-huit heures, afin de sérieu-sement s'attaquer pour la première fois à l'inévitable préparation de sa conférence sur les noms, dont Wach avait indiqué dans un mémo matinal qu'elle s'intitulait désormais « Vers et envers des noms dans le sud de l'Indiana ». En s'approchant, il dénombra six voitures de police et une camionnette de la télé sur le parking. Deux policiers se tenaient sur la berge de la rivière, et plusieurs autres faisaient des allées et venues depuis l'institut. Sa première pensée fut pour les enfants ; toutefois, il aurait eu bien du mal à préciser la nature de la peur qu'il ressentit. Juste après, il songea à Woeps en espérant que tout allait bien pour lui. Au pied du bâtiment, il prit connaissance des faits par l'intermédiaire d'un journaliste qui ne semblait pas savoir qui il était, et qui, manifestement, s'en fichait. Le journaliste lui dit que Philpot avait été repêché environ une demi-heure plus tôt.

Cook fit demi-tour, s'avança lentement sur le pont et se pencha à la balustrade. Les deux policiers sur la berge levèrent la tête, le dévisagèrent un moment, puis décidèrent de l'ignorer. L'un des deux engloba d'un grand geste du bras la surface de l'eau, de l'amont à l'aval. Au bout de quelques minutes, ils s'en allèrent. Le groupe de policiers et de journalistes stationnés devant l'entrée principale de Wabash se dispersa aussi. Alors qu'il fixait la petite rivière, Cook entendit le claquement des portières et le bruit des moteurs qui démarraient.

Il repensa à Philpot, observant les enfants dans la salle de jeux et exprimant le regret de ne pas pouvoir être avec sa fille le jour de son anniversaire. L'image de sa jeune veuve à New York essayant d'expliquer à la fillette que son papa était mort, fillette que Cook n'avait jamais rencontrée et ne rencontrerait jamais, lui procura une étrange sensation qu'il finit par identifier comme du chagrin mêlé de honte, une honte qu'étrangement il associait à sa propre vie. Il retira ses lunettes et, de ses paumes, se frotta les yeux. Il contempla l'eau grise, silencieuse, qui ne recelait nul secret, mais était simplement là, sombre et oppressante. La lumière déclinait. Il pivota, sur le point de partir, quand il entendit des bruits de pas sur les planches du pont. Surpris, il se retourna pour voir le lieutenant Leaf qui venait vers lui, les mains dans les poches. Derrière lui, un policier attendait dans une voiture banalisée sur le bord de la route.

Leaf rejoignit Cook et lui dit sans le saluer : « Je commence à en avoir ras-le-cul. Ras-le-cul. »

Cook n'avait pas envie de discuter avec Leaf. Il voulait rentrer chez lui.

« Excusez-moi, lieutenant, je…

– Mais merde ! s'écria Leaf. Ras-le-cul. »

Cook le fixa et vit qu'il était livide. Les mains cramponnées à sa poitrine, il semblait sur le point de tomber raide mort.

« L'accident, d'accord. Tenter de maquiller l'affaire, d'accord. Un suicide, d'accord. Mais alors ça. »

Il désignait la rivière.

« Putain, *merde*. Quel monde !

– Je ressens la même chose, chuchota Cook.

– *C'est ça*, ouais, fit Leaf avec sarcasme et amertume. Putains d'intellos à deux balles. »

Il foudroya Cook du regard.

« Un père de famille vient de loin, et vous le butez. Et puis vous reprenez vos petites affaires à la noix, bande de fils de putes. »

Il se retourna et partit, laissant Cook en plan, sur le pont, perplexe. Ce dernier n'eut ni l'énergie ni l'envie d'essayer de comprendre ce que l'inspecteur avait voulu dire.

Lorsque Cook croisa Leaf à nouveau, celui-ci était calmé et à nouveau dans son état normal. Il rendit à Cook une petite visite impromptue à son domicile. C'était le vendredi en fin d'après-midi, le lendemain de leur brève rencontre sur le pont. Cook estimait qu'il lui était impossible de travailler à Wabash. La police, la presse, les parents – tous étaient bruyants, effrayés, indignés. Il s'était échappé pour déjeuner avec Woeps, puis était revenu dans l'espoir que ce serait plus calme. Mais non. À nouveau les enfants paraissaient perturbés par les événements, et les plus âgés encore moins sociables que d'habitude. Un petit gars que Cook ne connaissait que sous le sobriquet de Dicky, et que Woeps avait caractérisé une fois comme étant « 100% garçon », avait écrasé un petit maillet en bois sur la bouche d'une fillette, qui s'était mise à hurler, le visage en sang. La mère de la fillette, présente sur les lieux pour se faire par elle-même une idée de la situation, afin de décider si oui ou non elle allait retirer sa fille de Wabash, se décida finalement très vite. Pris de panique, Wach renvoya sommairement et publiquement l'auxiliaire responsable – quelque peu arbitrairement, de l'avis général, vu que rien n'aurait pu laisser prévoir que Dicky allait se montrer violent. Le tapage incessant, les journalistes qui venaient frapper à sa porte pour l'interroger au sujet de sa machine à écrire, tout cela le poussa à quitter les lieux.

Il était en train de tondre la pelouse quand la voiture de police s'arrêta, conduite par le joueur de bowling qui, apparemment, faisait également office de chauffeur pour Leaf. Cook leva la tête puis, quand il vit qui c'était, continua à tondre sa pelouse. Leaf s'approcha et se campa en plein devant la tondeuse, forçant Cook à s'arrêter. Leaf montra la machine du doigt.

« Bruyant ! », s'écria-t-il.

Cook comprit le message et coupa le moteur. Leaf tourna son doigt vers lui-même :

« Stupide », dit-il.

Cook le fixa d'un regard vide. Leaf montra le côté gauche de sa poitrine.

« Penaud », dit-il.

Puis en désignant sa tête :

« Repentant.

– Lieutenant, dit Cook avec impatience, avez-vous quelque chose à me dire ? J'ai des trucs à faire, et si vous comptez ne parler qu'en adjectifs tout l'après-midi, vous allez me faire perdre mon temps.

Leaf parut déçu, comme si Cook venait de lui refuser l'opportunité de se livrer à un challenge linguistique.

– Un dernier, alors. Désolé. Je suis désolé. Est-ce un adjectif ? J'ai perdu la tête. J'étais en colère. Je n'aime pas les meurtres.

– Très bien. Dites-moi ce qui vous amène. »

Cook indiqua d'un geste la véranda en bois devant sa maison. Les deux hommes se mirent en marche. Cook était bien content d'avoir dit ça en premier, avant que Leaf ne le lui demande. Cette fois, il n'allait pas laisser ce gras du bide lui embrouiller les idées. Il s'assit sur la balancelle, craignant qu'elle ne plie sous le poids de Leaf, et lui indiqua une chaise.

« Asseyez-vous.

– J'aime les balancelles. Bougez de là.

Cook ne céda pas.

– Non. J'y étais le premier. Asseyez-vous là.

Il lui montra de nouveau le siège. Leaf obéit.

– Qu'est-ce que vous savez de ce Philpot ? demanda Leaf.

– Non. Vous, d'abord. Il était mort depuis combien de temps quand il a été repêché ? Les infos n'ont pas été claires sur ce point.

Leaf hésita un moment puis parla franchement.

– Peut-être une semaine ou plus.

– Il est donc possible qu'il ait été tué le même soir qu'Arthur ?

– C'est probablement ce qui s'est passé. Et par le même homme. Votre machine à écrire est le trait d'union.

– Comment est-il mort ?

– Par étouffement.

– Vous voulez dire qu'il s'est noyé ?

– Non. Strangulation. Tué avant d'être balancé à la flotte. »

Cook se retint de poser une nouvelle question.

« À l'évidence, le gars que nous recherchons l'a plaqué au sol et l'a étranglé à mains nues, poursuivit Leaf. Il a passé une sacrée nuit.

– Cela demande une force considérable, dit Cook.

– Ou une motivation à toute épreuve.

– Dans ce cas…

Leaf haussa les épaules.

– Peur d'être découvert. Philpot a dû être témoin de quelque chose.

Cook hocha la tête. Il en était lui aussi arrivé à cette conclusion.

– Qui a été le dernier à le voir ?

– Cela dépend de vous. Vous êtes le dernier des Six de Wabash que je dois interroger à ce sujet. Quand l'avez-vous vu pour la dernière fois ?

– Sur le coup de midi, mardi dernier.

– Et qu'est-ce que…

– Du coup, qui est le dernier à l'avoir vu ? l'interrompit Cook.

– Votre patron. Il l'a déposé à son hôtel vers dix-sept heures.

– Donc entre cette heure-là et le moment de l'accident, il a croisé la route de l'un d'entre nous.

– Oui. Qui ?

– C'est difficile à dire. Il aurait pu prendre rendez-vous avec n'importe lequel. En fait, je devais le retrouver pour boire un verre plus tard dans la soirée.

– Vous ne me l'aviez pas dit.

– Je n'en ai pas eu l'occasion. Ce que je veux dire, c'est qu'il a tout aussi bien pu prendre rendez-vous pour dîner ou boire un verre avec Emory, Milke, Adam Aaskhugh, ou n'importe qui…

– Une personne qui aurait pu lui proposer de l'accompagner au bureau pour vous y retrouver. Est-ce que Philpot savait que vous y seriez ?

– Oui. Je le lui avais dit. »

Cook réfléchit un moment.

« C'est bon. Nous avons maintenant une explication à sa présence là-bas.

– Vous savez, il serait encore vivant si vous ne lui aviez pas donné rendez-vous », fit Leaf d'un ton accusateur.

Cook éclata de rire. Il commençait à comprendre le fonctionnement de Leaf. Il refusait de se faire à nouveau embobiner.

« Ce fut bien imprudent de ma part, lieutenant. Ai-je le temps de faire mes valises avant que vous ne me jetiez dans le panier à salade ? »

Leaf ne releva pas.

« Autre chose, lieutenant. Le tissu retrouvé sur mon pare-chocs correspondait-il au pantalon ?

157

– Pantalon ? fit Leaf d'un air étonné. Quel pantalon ?

– Le pantalon de Stiph. Vous savez… Le bout que j'ai retrouvé après…

– Ah. Ça. Oui, il correspond. Il correspond parfaitement. Il fait chaud, et je suis un cow-boy qui meurt de soif. Qu'auriez-vous à proposer à un cow-boy assoiffé ? »

Il regarda tout autour de lui, dans l'espoir de trouver une boisson fraîche.

« Citronnade ? fit Cook.

– Et un milk-shake, tiens ? demanda Leaf.

Cook fit la moue.

– Eh bien…

– Vous n'avez pas ce qu'il faut ?

– Ce qu'il faut ?

– Hé bien, la crème glacée, par exemple.

– Vous voulez vraiment un milk-shake ?

Cook se releva.

– Vous aimez la crème glacée ?

– Oui, répondit Cook, jugeant la question immensément ennuyeuse.

– Donnez-moi un bourbon et de l'eau plate.

Cook hésita.

– Sérieusement ? demanda-t-il, se demandant quelle nouvelle blague ou quel nouveau mystère l'attendait.

– Bien sûr.

– Et votre gars dans la voiture ? dit Cook en tournant son regard vers l'autre côté de la pelouse.

– Nan, dit Leaf. Qu'il aille se faire foutre. »

Tout en préparant le verre pour Leaf dans la cuisine, Cook se résolut à ne plus se laisser mener par le bout du nez. Leaf avait pris le dessus avec cette histoire de milk-shake. Il avait confiné Cook à un rôle insignifiant, domestique. Toutefois, il savait comment riposter. Il y avait une question à laquelle Cook savait que Leaf ne pourrait pas répondre – c'était tout simplement impossible. Il prit une bière dans le réfrigérateur et retourna sur la terrasse en bois, où il trouva Leaf installé dans la balancelle, fumant une cigarette. Cook lui tendit son bourbon et s'adossa à la balustrade, face à lui. Leaf porta le verre à sa bouche, le renifla puis le posa.

« Lieutenant… commença Cook, le souffle court, sachant ce qui allait suivre. Que pensez-vous du fait que quelqu'un se faisant passer pour Philpot ait appelé une des auxiliaires vendredi ?

– Ça me laisse perplexe. »

Cook attendit que Leaf développe. Comme celui-ci n'ajoutait rien, Cook ajouta :

« Est-ce que ça ne complique pas un peu l'affaire ?

– Non. Il regarda Cook. Je pense que c'était juste un pauvre type qui travaille là-bas et qui essayait de savoir ce que les autres pensent de lui. »

Leaf se balança un peu, tira sur sa cigarette et souffla la fumée vers le plafond de la véranda – l'archétype de l'homme fier de lui.

Cook essaya de garder un visage impassible.

« Donc… le gars qui s'est fait passer pour Philpot au téléphone n'est pas nécessairement le tueur ?

– Exact. » Leaf continua à se balancer, ses petites chaussures grinçant à chaque retour de la balancelle. « Et pourtant, le profil est le même.

– Que voulez-vous dire ?

– Peur du jugement des autres. Vous savez, c'est triste pour ce gars. Il n'aurait très probablement même pas été condamné. La nuit, cette route est sombre comme le cul d'une vache, et Stiph portait un manteau noir. Fichtre, dans de telles circonstances, j'aurais moi-

159

même pu lui rouler dessus. Bien sûr, le vomi dans votre bureau suggère que le conducteur était ivre, ou avait bu, mais il y a des moyens de dissimuler ça. Une chose est sûre, il en a trop fait. Ou alors il n'avait pas bu une goutte avant l'accident. Peut-être n'est-ce qu'après coup, pour se donner du cœur à l'ouvrage, en un sens. Dans un cas comme dans l'autre, il aurait dû se signaler et faire confiance à la justice. Alors qu'il s'est enfoncé. Maintenant, plus rien ne l'arrêtera. Vous pourriez être le suivant sur sa liste.

Il se mit à siffloter doucement tout en se balançant.

– Moi?

– Bien sûr. Aux yeux du public, vous êtes le suspect numéro un, donc c'est vous qui avez le plus à gagner à mettre la main sur l'assassin, non?

C'était indéniable, si ce n'est qu'il n'avait pas progressé d'un pouce dans sa propre enquête.

– Exact.

– Si vous vous approchez trop, *pan*!

Il frappa du poing l'intérieur de sa paume et le mouvement fit vaciller le verre posé à ses côtés sur la balancelle, auquel Leaf n'avait pas touché. Le verre rebondit sur les lames de bois de la véranda, mais ne se cassa pas.

– Ils tombent comme des mouches, dit Leaf.

Cook regarda la flaque au sol et proposa mécaniquement:

– Je vous en prépare un autre.

– Je ne pense pas, Jeremy, dit Leaf en se levant. Il faut que je file à Kokomo.

– Vous n'avez pas d'autres questions à me poser?

– Eh bien, encore une, si vous insistez. Qu'avez-vous pensé de la nouvelle écrite par Stiph?

– "Le Contrepoint de l'humanité" ? Je ne sais pas, je n'y ai pas beaucoup réfléchi.

– *Har, har, har...* vous n'y avez pas beaucoup réfléchi.

– Non, vraiment.

– Non, vraiment, *har, har, har...*

Apparemment, Leaf était prêt à continuer son petit manège tout le reste de l'après-midi.

– Je l'ai trouvée bien, je crois. Assez sympathique.

– Assez sympathique, *har, har har...*

– Bon sang, mais si. »

Il s'interrompit et songea à la manière dont il allait développer. Comment défendre l'idée qu'une nouvelle pouvait être sympathique ? Était-ce vraiment la tâche qu'il allait maintenant devoir se coltiner ?

– Telle que je la comprends, mais je ne suis qu'un *adorable* flic, il dit que le mal est juste... quelque chose que l'on attribue aux individus que l'on n'aime pas. C'est ça ?

– Je crois. Quelque chose dans ce goût-là. C'est une notion intéressante, vous ne trouvez pas ?

Leaf lui adressa un sourire qui se transforma lentement en un large rictus.

– À votre avis, combien de kilos de conneries faut-il pour couler un navire, un grand navire ? Le navire Philpot, par exemple ?

– Des tonnes, je dirais, répondit Cook, tentant de comprendre cette image.

Leaf secoua la tête et descendit les marches de la véranda.

– L'histoire de Stiph y arriverait à elle toute seule. »

Cook soupira et se massa le cuir chevelu. Son bureau était jonché de notes, de livres et de journaux ouverts. Il savait désormais, pour ce que ça valait, que *John, Johann, Jan, Ian, Hans, Hansel, Giovanni, Jean, Juan, Ivan, Vanya, Evan, Sean* et *Jones* étaient en définitive un seul et même prénom. Que *Elmer* était jadis un terme usuel pour saluer des inconnus ; que le nom de Shakespeare avait été épelé de quatre-vingt trois façons différentes au cours de sa vie ; que les Lombards avaient de longues barbes ; que les Anglais devaient leur nom au terme *angle*, qui désignait la pêche à la ligne, et que des habitants de l'Arkansas avaient transformé une rivière initialement nommée *Purgatoire* en *Picket Wire*, tandis que des dockers américains avaient rebaptisé un paquebot norvégien, le *Björnstjerne Björnson,* en *Bejesus Bejohnson*. Et il sut finalement pourquoi certains prononçaient « *euh* » la voyelle finale de patate et de tomate, tandis que la majorité se contentait de la consonne occlusive « *at* ». Cette dernière contastation avait pour lui une valeur particulière car cette question précisément lui avait été posée des dizaines de fois, presque autant que celle de savoir en quoi consistait la linguistique – aux soirées, aux pique-niques, au lit, dans les aéroports, et une fois, ce qui l'avait dérangé, dans les toilettes de *Chez Max*. Désormais, après toutes ces années, il aurait une réponse.

Il retira ses lunettes et se frotta les yeux. Il se cala le dos au fond de son siège, s'étira et grogna. C'était dimanche après-midi, et les mystérieux grincements et coups qu'il entendait de temps en temps en provenance d'un autre endroit au sixième étage lui laissaient penser qu'il n'était pas le seul linguiste à faire des heures supplémentaires. L'unique incongruité était, par contraste, le silence qui régnait dans le bureau d'Orffmann. Ce dernier, tel un colocataire insupportable, était toujours là. Jusqu'à récemment, tout du moins. Son absence inquiétait Cook dans la mesure où elle instillait en lui l'espoir que ce soit pour toujours ; espoir qui, il le savait, serait forcément déçu un jour. Le rire d'Orffmann évoquait pour lui des citrouilles d'Halloween. Il visualisait avec une effrayante précision un défilé de citrouilles rigolardes, résolues coûte que coûte à incendier le monde. Il se demanda vaguement si Orffmann pouvait être celui qui avait dit à Paula qu'il était un parfait trou-du-cul. C'était tout à fait plausible. Mais Orffmann semblait presque trop incompétent, incapable même de dire du mal. Et puis il se souvint du témoignage d'Ed, selon lequel Orffmann se considérait lui-même comme un ami de Cook. Non, c'était probablement Mary-la-secrétaire. Étant donné leur inimitié, il appréciait le réconfort logique à penser que ce soit elle. En tant que premier contact des nouveaux arrivants, elle en avait *l'opportunité* ; en tant que locutrice de même langue (quoique de piètre niveau) elle en avait les *moyens* ; et dans la mesure où elle avait probablement vu Cook ricaner le jour où il l'avait surprise à jouer toute seule au morpion à son bureau, elle avait un *mobile*.

Il entendit un toussotement et un rire assurément féminins dans le couloir. Mademoiselle Pristam était-elle revenue à Wabash plus tôt que prévu ? Si c'était le cas, il allait falloir qu'il la salue chaleureusement, perpétuant ainsi cette idée qu'elle avait de lui et qui le définissait comme « un sympathique jeune homme ». C'était reparti. Il se ragaillardit, se pencha en avant sur son siège, tendant l'oreille. C'était bien un rire. Nom de Dieu…

Il se leva, ouvrit sa porte et s'engagea dans le couloir. Sur sa gauche, au-delà du bureau de Woeps, la porte du bureau de Milke était entrouverte, et il s'en échappa tout d'abord un ricanement barbu puis Paula Nouvelles, qui s'approchait de lui tout en lançant par-dessus son épaule : « Je travaillerai ici, dans ce cas. » Elle portait plusieurs livres. Cook changea de direction et s'engagea dans le couloir sur sa droite, espérant avoir l'air de quelqu'un qui allait aux toilettes. Paula était derrière lui. Quelle que soit sa destination, elle le suivait. Cook réalisa soudain que cette situation était idiote, et décida de se retourner pour (1) l'attendre, (2) la saluer, (3) lui parler et (4) la séduire. Aucun de ces objectifs, pas même le premier, ne fut atteint. Dès qu'il fit volte-face, elle se détourna, pénétra dans l'espace central et disparut. Mais non sans, remarqua-t-il, lui adresser un petit signe de la main et un sourire.

Il resta dans le couloir à regarder dans le vide. Il pivota. À quelques mètres devant lui se trouvait la porte des toilettes ; s'il baissait la tête et fonçait dessus à toute vitesse, l'impact le tuerait peut-être. De toutes les options pour un suicide efficace qui lui vinrent à l'esprit, c'était certainement la plus rapide. Avait-il quitté le lycée ? Oui ! Alors pourquoi ce genre de chose lui donnait l'impression qu'il y était encore ? Certains prétendent que le célibat assure une éternelle jeunesse. Sans aucun doute, songea Cook, si cela doit signifier qu'on se sent éternellement ridicule.

Il retourna à son bureau en adoptant un air digne. Il était Jeremy Cook, un des plus fameux psycholin-guistes des États-Unis. Il rassembla ses notes et ses livres sur les noms, et les empila sur un coin de bureau où rien n'était vraiment trié. Ces histoires avaient sur lui le même effet que Leaf, elles lui embrumaient le cerveau. Il sortit ses dossiers sur les idiophénomènes et ses retranscriptions d'enregistrements, ainsi qu'un carnet vierge pour l'aider à réfléchir.

Une demi-heure plus tard, il était – presque – aussi fébrile que si les quatre étapes de l'approche de Paula avaient été couronnées de succès. Il composa le numéro d'Ed Woeps. Sa femme décrocha. Elle semblait d'humeur loquace, mais Cook, de manière impolie, la pressa de lui passer son mari.

« Bonjour, Jeremy. Alors, des potins ?

– Pas aujourd'hui, Ed. Mais je crois avoir saisi le *m'boui* de Wally.

– Vraiment ? Attends, un petit instant. »

Cook l'entendit demander à sa femme de lui prendre quelque chose des mains. Il y eut une discussion. La chose en question se révéla être Wally qui, pour une mystérieuse raison, resta dans les bras de Woeps. Cook l'entendit par intermittence en bruit de fond.

« Vas-y, Jeremy.

– J'ai passé en revue toutes les occurrences que j'ai, mais il va m'en falloir davantage pour vérifier. On dirait que c'est un commentaire sur des objets *en mouvement*, comme pour dire : "Quelque chose se déplace" ou "Il y a du mouvement". Toutes mes notes indiquent qu'il regarde des gens ou des animaux qui bougent ou des poissons qui nagent…

– Ou de l'eau qui coule dans la baignoire.

– Oui. Justement je voulais te poser la question. A-t-il dit ça à propos de toi ou à propos de l'eau ?

– Il montrait l'eau.

– Ah bon ? Tu ne me l'avais pas dit.

– J'ai oublié. C'est facile d'oublier ces choses-là. Il l'a dit deux fois aujourd'hui, Jeremy.

– Bien, dit Cook, tout sourire en entendant Woeps parler des *m'boui*, comme s'il s'agissait de cadeaux. Je suis content d'entendre qu'il continue. À quelle occasion les a-t-il prononcés ?

– Il y en a eu un adressé à la chatte du voisin quand elle est passée en courant, et l'autre en voyant un Indien à la télé. Je crois qu'à ce moment-là, il était sur un cheval.

– Bien. As-tu noté les intonations ?

– Absolument pas.

– Dis-moi si tu y comprends quelque chose : j'ai des intonations très distinctement montantes dans ses remarques sur les quatre personnes à propos de qui il l'a dit, toi, moi, et deux auxiliaires, Sarah et Sally, ainsi que sur le poisson et un jouet qui se remonte et qui roule. Mais l'intonation est tombante avec les écureuils et les oiseaux. Il en a sorti quatre quand j'étais dehors avec lui un matin de la semaine dernière. Tous tombants, deux oiseaux, deux écureuils.

– On ne peut pas dire qu'il y ait de grandes similarités physiques, hein ? fit Woeps.

– Non. C'est peut-être parce que ce qui importait était que nous étions dehors. Le *m'boui* avec une intonation tombante signifie peut-être "Le déplacement se passe en extérieur". Mais ce serait tout de même assez bizarre.

– Wally n'aime pas vraiment les oiseaux et les écureuils.

Cook fronça les sourcils.

– Ah ?

– Oui, je ne sais pas trop pourquoi, mais il en a peur.

166

– Et il nous aime bien, toi, moi, les deux auxiliaires et le poisson…

– Oui. Pour ce que j'en sais.

– Fichtre, fit Cook, se sentant presque estomaqué. C'est une indication sur ses préférences personnelles.

– Tu viens de piquer ma curiosité. Je vais le surveiller avec attention.

– Ed, j'ai hâte de l'étudier. Pourrais-je l'avoir quelques heures ce soir ?

Woeps hésita.

– Les parents d'Helen viennent de Louisville, et ils ne restent que…

– Laisse tomber. Je le verrai demain.

Un autre silence s'ensuivit. Le cœur de Cook se serra.

– Je crains qu'ils n'aient prévu une sortie demain, Jeremy. Les parents d'Helen auront envie que Wally les accompagne.

– Ma foi, je ne veux pas vous mettre la pression.

– Demain soir, ce pourrait être bien. Nous sortons et faisons venir une baby-sitter. Tu pourras être seul avec Wally dans sa chambre. Ça lui fera plaisir.

Cook éclata de rire.

– Et si ça ne lui fait pas plaisir, il saura me le faire comprendre !

– Quoi ? Ah… ouais, à condition que tu sois en mouvement. Qu'en penses-tu ? On s'en ira vers dix-huit heures, et tu pourras le garder éveillé jusqu'à vingt heures, voire vingt heures trente, si tu veux.

– Très bien.

– Tu sais, Jeremy, si c'est une histoire d'affinité de type "j'aime" ou "je n'aime pas", on aurait peut-être une explication à la faible fréquence des occurrences. Je veux dire, du mouvement, il y en a tout le temps,

167

d'accord, mais si ses *m'boui* indiquent la conjonction d'un mouvement et d'une appréciation…

– C'est vrai. Mais c'est assez inhabituel. C'est pour ça que je veux constater davantage d'occurrences.

Il entendit des petites vocalises, puis des gémissements.

– Je vais devoir raccrocher, Jeremy. Il commence à en avoir marre. Je suis content que tu aies avancé. On se voit demain. »

Cook se leva. Il sortit de son bureau, prit le couloir puis s'engagea dans la pièce où Paula avait disparu. Elle était dans le coin cuisine, à côté du distributeur, la tête fourrée dans un livre. Elle leva la tête lorsque Cook apparut. Il résista à la tentation de faire croire qu'il était venu chercher du café à l'une des machines et l'approcha avec assurance.

« Que lisez-vous ? »

Elle lui montra le dos du livre sans un mot. Plutôt laconique, songea-t-il. En fait, complètement laconique. Mais le livre – *Présupposés, Références et Quel roi de France ?* – était de bon augure, car l'ouvrage contenait deux articles signés de sa main, l'un des deux étant peut-être le meilleur qu'il ait jamais écrit. Quand il lui demanda si c'était un domaine qui l'intéressait particulièrement, elle répondit que sa thèse portait sur l'intonation et le présupposé.

« Vous savez, dit-elle, des problématiques comme le fait qu'on peut avoir deux lectures d'une phrase telle que "Je préfère encore aller me faire cuire un œuf" selon la façon dont on prononce *encore*. On suggère soit que l'on va se faire à manger, soit que l'on va aller se faire voir ailleurs.

– Oui. Il y a là des problématiques fascinantes, surtout avec les opinions exprimées, comme "John pense que je suis un trou-du… un ivrogne". On peut tout à fait entendre : "John, pense que je suis un ivrogne". Avez-vous réfléchi à des choses comme ça ?»

Elle posa son livre – sans prendre la peine de marquer sa page, remarqua Cook – et s'installa confortablement dans son siège tout en le regardant droit dans les yeux.

«Eh bien non, Jeremy, non.»

Chapitre neuf

Cook observa Wach qui passait en revue le groupe sous ses yeux. S'il y avait un moment opportun pour prendre la mesure du pétrin dans lequel l'institut tout entier se trouvait, c'était bien celui-ci. En ce lundi matin, l'impact de la découverte du corps de Philpot, le jeudi soir précédent, était désormais manifeste. Une bonne moitié des enfants qui fréquentaient habituellement Wabash étaient restés chez eux. Le téléphone de Wach avait sonné toute la matinée. La question posée par Philpot à son arrivée n'en prenait que plus de sens : vu le sort que réservait Wabash à son personnel et à ceux qui s'y intéressaient, *que faisaient-ils au juste avec ces bébés ?* Et qu'avaient-ils derrière la tête ?

Wach avait convoqué les linguistes à dix heures afin de discuter de leur situation plus qu'inconfortable. Ils étaient à présent assis dans son bureau et attendaient Milke, ressorti pour demander à Mary-la-secrétaire de joindre Orffmann afin de savoir où ce dernier se trouvait. En attendant, Cook se tourna vers Woeps et lui demanda – et obtint – la permission d'amener Wally à Wabash le soir même, car il avait décidé, non seulement, de l'observer mais aussi de l'enregistrer. Cook convint de passer prendre Wally à dix-huit heures.

Milke réapparut au milieu de cette conversation et attendit (plutôt poliment d'ailleurs, songea Cook) qu'ils aient fini de parler pour leur donner des nouvelles d'Orffmann. Mais avant qu'il puisse le faire, Aaskhugh, adossé à la porte, interrogea Wach sur l'état des inscriptions à Wabash.

À la manière d'un économiste du gouvernement égrenant des prévisions, Wach déclara : « Les perspectives ne sont pas brillantes. » Il se racla la gorge et consulta des feuilles sur son bureau. « Nous avons cinquante-cinq pour cent d'absents aujourd'hui. Dont à peu près la moitié sont des retraits définitifs, les jumeaux Simpkins par exemple. L'autre moitié étant temporaire, d'après ce que les parents m'ont dit. Je pense qu'ils attendent de voir comment la situation va évoluer. » Il accompagna ces mots d'un grand geste de la main, comme s'il était le premier homme à utiliser cette expression et qu'elle avait besoin d'être illustrée pour être parfaitement comprise.

« Les quarante-cinq pour cent restants, on peut compter dessus à long terme ? demanda Cook.

– Je dirais que le nombre d'enfants présents aujourd'hui est le signe d'une solide fidélité des parents à l'institut, fit Wach.

– Jusqu'à ce qu'on découvre autre chose... lâcha Milke en s'avançant pour prendre place à côté de Cook. Ou jusqu'à ce que leurs voisins les en dissuadent. "Vous voulez dire que vous envoyez *encore* vos enfants là-bas ?" Je ne suis pas très optimiste.

– Où est Clyde ? demanda Aaskhugh à Milke.

– À l'hôpital. Sa femme dit qu'il a une pneumonie. Mais plus important encore...

– Ha ! s'exclama Aaskhugh. Comme par hasard...

171

Woeps éclata de rire.

– Et s'il meurt, Adam, est-ce que ça règle la question ? Cela aura-t-il valeur de confession ?

– Comment vont les travaux de Clyde, ces derniers temps, Walter ? demanda Aaskhugh, ignorant Woeps et se tournant vers Wach en quête de soutien.

Wach cligna des yeux.

– Ils avancent.

Aaskhugh hocha la tête.

– Est-ce que quelqu'un aurait remarqué quelque chose d'inhabituel chez lui, récemment ?

Milke prit la parole.

– La piste que vous suivez m'amuse, Adam. J'allais justement annoncer que Clyde est officiellement lavé de tout soupçon.

Les linguistes accueillirent cette nouvelle avec des souffles étonnés et des râles déçus non dissimulés.

– À l'évidence, poursuivit Milke, il avait un alibi, mais n'était pas en mesure de… ou il serait peut-être plus exact de dire qu'il était *réticent* à laisser s'exprimer son témoin.

– Réticent ? fit Cook.

Milke sourit.

– J'en parlais à l'instant au téléphone avec le lieutenant Leaf. C'est la femme de Clyde qui a suggéré que je l'appelle. Il a dit des choses que je n'ai pas vraiment comprises, mais je crois que notre homme, Clyde, avait une aventure. Leaf m'a donné cette impression, et pourtant il a évité l'usage de tout pronom féminin en me parlant de l'alibi. Je crois même qu'il a évité tout pronom.

– Une aventure ? fit Woeps. Clyde ! Ça ne lui ressemble pas ?

– Moi, cela ne m'étonne pas, dit Aaskhugh, retournant sa veste sans vergogne. Sa femme est une vraie mégère.

– Dites, on se rapproche du salopard, non ? fit remarquer Cook sur un ton neutre.

Les quatre hommes le toisèrent ; puis, en comprenant ce qu'il avait voulu dire, ils se dévisagèrent les uns les autres. Il était sur le point de poursuivre en ce sens quand Wach intervint :

– L'objectif de cette réunion, messieurs, est d'intervenir pour que Wabash ne dégringole pas davantage sur cette pente dangereuse. Je suggère que nous nous en tenions à cela pour le moment. »

Cook réprima une moue.

« Je serais ravi que vous vous livriez à un petit brainstorming concernant la meilleure façon de gérer la situation. » Wach avait prononcé ces mots comme si leur dernière séance de ce type avait été un franc succès. RÈGLE DE WACH N°8 : hormis ce qui touche à leur petite personne, les gens ne se rappellent généralement de rien, par conséquent, il est plutôt aisé de faire passer les échecs d'hier pour des victoires.

Durant le silence qui suivit, Milke se caressa la barbe, Aaskhugh observa ses mains, Woeps frotta une tache sombre qui maculait la jambe droite de son pantalon au-dessus du genou, tandis que Cook les regardait faire.

« Comme vous le savez, commença Wach d'un ton encourageant, Jeremy met la main à la pâte avec sa conférence sur les noms…

– Walter, puisqu'on en parle, j'aimerais voir l'intitulé changé en simplement "Des noms". Je ne pourrai pas tenir plus de vingt secondes si je ne dois parler que de l'Indiana du sud.

– C'est noté, Jeremy.

Milke rigola.

– Vous espérez que le Rotary Club va voler à notre secours uniquement parce que Jeremy va leur mitonner une conférence aux petits oignons ? Ce qui sera le cas, Jeremy, ne me faites pas dire ce que je n'ai pas dit.

– J'y vois une initiative parmi un ensemble d'actions visant à améliorer les liens avec la communauté locale, rétorqua Wach.

– Quelles sont les autres actions ? l'interrogea Milke.

– Nous sommes présentement en train d'y réfléchir, dit Wach. Tous ensemble.

Milke rit doucement et marmonna :

– Je n'avais pas remarqué.

Après une nouvelle pause qui traîna un peu en longueur, Wach reprit la parole :

– Je vais vous soumettre une idée. Que diriez-vous de changer le nom de l'institut ?

Quatre mines renfrognées accueillirent la proposition.

– Pour le rebaptiser comment ? demanda Cook.

– Je ne sais pas, dit Wach. Ce n'est pas important. Ce qui importe, c'est le changement.

– Mais dans quel but ? demanda Milke.

– Question d'association d'idées, répondit Wach. Les gens d'ici associent maintenant le nom de l'institut à la mort. Cela ne sera plus le cas si on en change.

Très doucement, Woeps intervint :

– Je crains que ce ne soit un peu plus compliqué que ça, Walter.

– C'est encore plus débile que de mettre un pansement sur une tumeur ! s'exclama Milke, incrédule. C'est comme souffler sur un cancer en espérant le guérir !

– Bien, bien, dit Wach. Je n'insisterai pas. Mais réfléchissez-y. Ne rejetez pas l'idée de but en blanc.

174

Nous pourrons y revenir. Bien, et maintenant, si c'est vous qui faisiez quelques suggestions ? Si la situation ne s'améliore pas, et ce sera le cas si nous ne trouvons pas quelque chose, des réductions d'effectifs seront inévitables.

– Parmi les linguistes ? demanda nerveusement Woeps.

– Oui, répondit Wach. Il en est question depuis déjà un certain temps, à vrai dire, et le moment n'est pas pire qu'un autre pour que je vous en touche deux mots. Il y a quelques semaines déjà, Adam m'a informé que la Fondation Himmelhoch comptait réduire ses subventions en linguistique. Il a une source bien placée à Washington, n'est-ce pas, Adam ?

– Exact.

– Ils ont été si généreux, dit Milke. Qu'est-ce que...

– Ils ont décidé de dépenser leur argent dans la recherche de sources d'énergie alternative ou une bêtise de ce genre, dit Aaskhugh.

– Vraiment ? fit Milke déconcerté. Diantre. On ne sait même pas comment les gamins apprennent les verbes irréguliers.

– Je sais, Emory, dit Aaskhugh. C'est assez révoltant.

– Cependant, cela ne nous affectera pas avant l'année prochaine, dit Wach. Et il est difficile de prévoir exactement quels seront les effets. Mais on peut comprendre que les inscriptions à la crèche deviennent cruciales, pas seulement comme source de financement mais aussi pour justifier la présence à plein temps de six linguistes.

Cook coupa soudainement Wach :

– Je voudrais savoir comment chacun de vous s'entendait avec Arthur.

Il laissa ces paroles faire leur chemin dans les esprits avant de poursuivre, ce qu'il fit au moment où les autres allaient lui demander pourquoi.

– C'est la première étape pour découvrir le meurtrier, et par conséquent raccourcir la liste des suspects. Si cela ne dérange personne, bien sûr. »

Cook entreprit une longue présentation des buts et des objectifs du Club des contre-amis, du moins de ce qu'il croyait en avoir compris. Il avait finalement décidé qu'espionner et écouter aux portes ne lui révélerait pas l'identité du contre-ami de Stiph. Après tout, qui, hormis Aaskhugh, allait volontairement dire quoi que ce soit de déplacé au sujet d'un mort, qui plus est apprécié de tous ? L'assaut frontal était la meilleure approche.

« Bien, conclut-il. Ayant dit cela, je ne m'attends pas vraiment à ce que quiconque saute sur l'occasion pour confesser une haine réciproque entre lui et Stiph, mais si vous avez entendu parler de quelque chose qu'Arthur aurait dit sur l'un d'entre nous…

– Mais… Jeremy, on est tous *ici*, hésita Woeps.

– C'est exact. Il faudra parler en présence de la personne concernée. À l'exception d'Orffmann, et maintenant que…

– Le mépris d'Arthur pour Clyde n'était un secret pour personne, fit Aaskhugh, immédiatement enthousiasmé par l'idée. Je l'ai souvent entendu le ridiculiser.

– Très bien, fit Cook. C'est ça. Mais comme Clyde n'est plus suspect, nous n'avons pas à nous soucier de lui. Pouvez-vous en dire autant d'autres personnes, Adam ?

– Je l'ai une fois entendu dire qu'Emory était un fils de pute bruyant et que sa barbe puait aussi fort qu'une plantation de tabac, dit Aaskhugh.

Milke fronça les sourcils et porta lentement sa main à son menton broussailleux.

– Je dois dire que…

– Et hormis le fameux commentaire sur Ed, c'est tout, dit Aaskhugh, lançant à la ronde un regard innocent.

– De quel commentaire s'agit-il, Adam? demanda Cook.

– Eh bien, Ed m'a montré une fois une vieille pièce de cinq cents avec une tête d'Indien qu'il garde toujours dans son porte-monnaie et qui lui sert de porte-bonheur. C'est bien ça, Ed? »

Woeps le regarda fixement sans répondre.

« Ensuite, après votre départ, Ed, Arthur s'est tourné vers le reste d'entre nous, or, nous étions assez nombreux si je me souviens bien, et il a dit: "Je me demande à partir de quand son truc va commencer à marcher." »

Il se tourna vers Cook, un large sourire aux lèvres.

« Je pensais que tout le monde était au courant.

– N'importe quoi, Adam, dit Woeps.

Aaskhugh parut véritablement étonné.

– Enfin Ed. Je vous assure. Ce n'est pas moi qui ai dit ça. Je ne fais que mettre en pratique ce que Jay a suggéré.

– Vous ne pouvez pas tirer sur le messager à cause du message qu'il apporte, Ed, rajouta Milke.

– Sauf si le messager a un sourire jusqu'aux oreilles en vous annonçant la nouvelle. Ce qui est le cas, pas vrai, Adam? commença Woeps en haussant le ton. Vous n'êtes vraiment qu'un colporteur de ragots, un misérable et maigrichon imbécile heureux.

– Mais enfin, je…

– Attendez, Ed…

177

– Dites, tout le monde, je crois qu'on ferait bien de…

– S'il vous plaît ! s'écria Cook. S'il vous plaît. » Il prit une profonde inspiration et expira. « Il faut que nous nous en tenions à Arthur. Ce qui importe c'est de savoir lequel d'entre nous, Arthur Stiph n'appréciait pas.

– Précisément, dit Wach, qui avait suivi de près, mais en silence, ces opérations. Je commence à me dire que vous êtes sur la bonne piste, Jeremy. La situation désespérée dans laquelle nous nous trouvons impose que nous prenions des mesures extrêmes. Quid des autres ? Que pouvons-nous reconstruire de l'opinion qu'Arthur avait de nous ? D'après ce que dit Jeremy, celui d'entre nous qu'il détestait le plus est celui qui l'a tué.

– Ce n'est pas une certitude, Walter, dit Cook, agréablement surpris d'avoir rallié Wach à son camp.

– Mais très probable ? demanda Wach.

– Oui.

Milke ouvrit la bouche comme pour parler.

– Oui, Emory ? fit Wach, trahissant une excitation inhabituelle.

– Ma foi, ça me fait tout drôle.

– Allez-y, fit Wach. Nous sommes entre amis.

– Il a dit que vous étiez très léger mentalement parlant, Walter, dit Milke.

Wach se redressa sur son siège.

– Ah ?

– Oui. C'est assez récent. Il a aussi dit d'autres choses. Il a dit que vous étiez un administrateur typique, dans le sens où vous ne pouviez pas lâcher un pet sans d'abord en évaluer les implications budgétaires. Il a dit que votre domaine n'était plus la linguistique, mais la pingrerie. Et il a rajouté que vous étiez aussi méchant que bête.

– Ça alors ! Je…

– Bon sang, c'est certainement qu'il…

– Le vieux Arthur n'a pourtant pas…

– Je pense que notre formule est biaisée », conclut Cook en haussant le ton.

Tout le monde se calma en le regardant.

« Vous vous adressez systématiquement à la personne concernée par votre révélation. Or, vous devriez vous adresser au reste d'entre nous. Nous ne sommes pas là pour résoudre des conflits ou révéler les animosités des uns et des autres. Ce n'est pas une thérapie de groupe. Nous devons envisager les éléments de manière collective, il n'y a que comme ça que nous pourrons avancer.

– Bien dit, fit Aaskhugh.

– C'est tout à fait exact, dit Wach.

– Jeremy, commença Milke en le regardant droit dans les yeux. J'ai une fois entendu Arthur dire une chose à votre sujet. Ou plutôt, fit-il en se détournant de Cook pour faire face aux autres, à propos de *lui*.

Il indiqua Cook.

– Qu'est-ce que c'était, Emory ? demanda Aaskhugh.

– Il a dit que Jeremy Cook aimait bien ramener sa petite gueule d'ange.

– C'est tout ? Ça ne rime pas à…

– Ça ne fait pas des masses…

– Un peu décevant.

Après un silence pendant lequel la déception fut palpable, Wach dit :

– Autre chose concernant Jeremy ? »

Tous se regardèrent en haussant les épaules.

« C'est drôle. On dirait que la méthode d'enquête proposée par Jeremy a surtout pour effet de l'écarter de la liste des suspects. »

Il s'interrompit soudain pour regarder Cook, et les autres firent de même.

Cook se leva.

« Je reviens tout de suite », dit-il et il fila dans son bureau où « Le Contrepoint de l'humanité » était classé dans son dossier « Trucs en cours », à côté de notes et autres manuscrits inachevés. Il revint avec le texte pour que le groupe puisse en prendre connaissance. Il eut ainsi un peu de temps pour réfléchir à ce que chacun avait dit jusqu'alors. *Écouter,* se rappela-t-il. *Il faut écouter.*

« Vous pouvez également questionner le lieutenant Leaf, dit-il. La femme d'Arthur lui a aussi parlé, elle ne l'a pas dit qu'à moi… Arthur avait l'intention de rencontrer son contre-ami ce soir-là. Tout cela est réel.

– On dirait bien, dit Milke en feuilletant les pages de la nouvelle. Il releva la tête pour fixer Cook.

– Ce n'est pas grave, dit Cook. Ce soupçon est utile. C'est ce que nous avons de plus précieux.

Aaskhugh étudiait la première page de la nouvelle en secouant la tête.

– Je ne connaissais pas très bien Arthur, dit-il d'un air pensif, mais jamais je ne l'aurais cru fou.

Wach opina vigoureusement.

– Je suis un peu sous le choc. Je m'en veux de ne pas en avoir su davantage à son sujet. Je n'en avais pas la moindre idée.

– De quoi parlez-vous ? demanda Cook. Je ne trouve pas cela bizarre du tout. Arthur était d'un naturel inventif, il a écrit cette nouvelle il y a des années. Qu'est-ce que ça peut faire ?

Wach dit :

– Mais il fréquente encore ces… ces…

– Oui, dit Cook. C'est vrai. Mais je n'y vois qu'un intérêt des plus naturels pour les relations humaines. C'est bien là tout le sel de la vie, non ? »

Ceci déclencha quelques plaintes et des objections. Wach trouva cela « malsain » ; Aaskhugh dit que Stiph « en avait fait une religion », sans préciser à quoi le *en* se référait ; Woeps déclara que ce qui comptait c'étaient les amis et non pas les ennemis ; et Milke trouva l'idée dans son ensemble « folle mais épatante ».

« Mais et toi, Jeremy ? demanda Woeps. Tu n'as pas un seul mot *gentil* qu'Arthur aurait pu adresser à l'un d'entre nous ?

Cook fit non de la tête.

– Absolument aucun. C'est pour ça que je prends cette initiative, qui ne me réjouit pas non plus particulièrement, d'ailleurs.

– Et vous, Walter ? l'interrogea Woeps.

Wach soupira de manière théâtrale.

– Ce n'est pas un hasard si je n'ai pas bronché jusqu'à maintenant, dit-il. Ce que j'ai à dire est malheureusement accablant pour l'un d'entre nous. Je dis "nous" car je vois notre infortune et le danger auquel nous sommes exposés comme un problème collectif. Ce qui n'est pas étonnant, compte tenu de ma tendance… peut-être fautive, mais l'erreur est pardonnable je pense, à considérer le sort de Walter Wach et celui de l'institut Wabash comme indis-sociablement liés. » Il marqua une pause. « J'ai entendu le défunt Arthur Stiph dire du mal d'un seul d'entre nous. Il a dit qu'il détestait cet individu plus que quiconque au monde, oui, et qu'il avait *peur* de lui. Et pire encore,

181

qu'il s'inquiétait de ce que lui, Arthur, pourrait lui faire. Voilà à quel point il le détestait. Ce n'est pas joli, certes, mais c'est comme ça. Je parle d'Emory Milke. »

Ce discours parut plus honnête et franc que tout ce qui avait été dit jusqu'alors. Un silence s'installa.

« Emory ? dit finalement Cook en se tournant vers lui.

Milke réagit assez bien à la nouvelle, s'abstenant de recourir à son outrecuidance habituelle.

– Je ne sais que dire. J'ai toujours apprécié Arthur, ou cru l'apprécier… J'ai du mal à l'imaginer en train de dire ça.

Comme pour se consoler, il sortit sa pipe vide de sa poche de chemise et se mit à la caresser.

– Je maintiens ma version des faits », dit Wach.

C'était étrange de dire cela, ou plutôt ce fut dit avec une étrange insistance. Si Cook comprenait correctement Milke, ce dernier disait qu'il ne remettait pas vraiment en question le témoignage de Wach. Il disait juste qu'il était difficile pour lui de le concilier avec l'impression qu'il avait eue de Stiph et l'affection qu'il avait éprouvée à son égard. Milke observa Wach pendant un moment, comme s'il était sur le point de clarifier sa déclaration initiale, mais ensuite, pour une raison connue de lui seul, il s'en abstint. Peut-être, en y réfléchissant, songeait-il qu'il *aurait mieux fait* d'accomplir le forfait pour lequel Wach le croyait coupable.

« Ed ? demanda Cook en se tournant vers son ami. Nous ne t'avons pas encore entendu.

– Avant que nous passions à autre chose, dit Aask-hugh, j'aimerais questionner un peu Walter sur ce qu'il vient de dire.

– Très bien, dit Cook. Allez-y.

– A-t-il donné des détails sur cette peur, Walter ?

– Non.

– Craignait-il une agression physique ?

– Ça, je l'ignore.

– Vous n'avez rien à ajouter, Walter ? demanda Cook.

– Rien.

– Quand a-t-il dit cela ? lança Milke. Et où ? Et à quelle occasion ?

– Il y a approximativement deux semaines, dans son bureau. Nous discutions des relations entre membres du personnel à Wabash. Cela fait partie de mes prérogatives de m'assurer que les choses se déroulent correctement.

– Dans ce cas, il a dû aussi mentionner d'autres personnes, suggéra Milke.

– Il a choisi de parler uniquement d'Emory, dit Wach en interrompant tout contact visuel avec Milke, balayant du regard les autres linguistes.

Milke resta un moment immobile, tendu, puis soupira.

– Ed ? reprit Cook, sentant que l'interrogatoire était terminé.

Woeps sourit.

– Je n'ai pas si souvent discuté avec Arthur, et je ne l'ai jamais entendu dire du mal d'aucun d'entre nous. » Il brandit un index en l'air, puis le braqua sur Aaskhugh. « Hormis d'Adam. Il m'a cité une fois un vieux proverbe espagnol alors qu'Adam passait dans le couloir. Le voici : "Qui sait peu se répète." Il a ensuite rajouté qu'Adam était une langue de pute : vie insignifiante, tête vide et bouche pleine.

– Aïe ! fit quelqu'un.

– Savoureux, n'est-ce pas ?

– Net et sans bavure.

Aaskhugh lança un sourire qui parut courageux, jusqu'à ce que Cook comprit que ce dernier semblait trouver ces remarques véritablement amusantes. Ça n'avait pas l'air de l'atteindre le moins du monde. Traiter une langue de pute de langue de pute n'avait peut-être aucun effet.

– Ed, tu ne dis pas ça pour te venger d'Adam ?

– Je suis content de pouvoir me venger, comme tu dis, mais ce n'est pas la raison.

– Non, dit Cook, mais le fait d'être personnellement impliqué peut t'amener à exagérer une histoire comme celle-ci ou à omettre des détails similaires sur certains d'entre nous.

– Je n'omettrais pas, Jeremy, même si c'était à propos de toi. Pour autant que je sache, il n'y a pas que des saints dans cette pièce. Loin de là.

– Très bien, dit Cook, se sentant soudain dépité. Compte tenu de toute l'affection qu'il avait pour Woeps, jamais il n'aurait pu dire ça de lui. Il se demanda si la phrase prononcée par son ami était aussi cruelle qu'elle en avait l'air.

– Des témoignages qui ont été jusqu'à maintenant cités, dit Wach, je dirais que c'est celui d'Arthur sur Emory, rapporté par mes soins, qui est le plus pertinent.

– Je suis d'accord, fit Aaskhugh.

– Oui, fit Woeps.

– Mais s'il avait peur d'Emory, commença Cook, je me dirais qu'il aurait plutôt été réticent à l'idée de le retrouver tard le soir comme ça.

– Effectivement, consentit Aaskhugh.

– Je suis d'accord, dit Milke. Tout cela est vraiment un peu déroutant. Et je ne pense pas qu'on puisse continuer à salir davantage Jeremy. » Cook le regarda. « La nature impitoyable d'Arthur semble si évidente désormais, poursuivit Milke, que même un garçon aussi sympathique et agréable que Jeremy finit par y perdre des plumes. »

Cook commençait à avoir la tête qui tournait. Pendant cinq ans, il avait soigneusement nourri une inimitié pour Milke. Il avait même inventé des critères pour le rabaisser. Et maintenant Milke lui proclamait publiquement son affection. L'appréciait-il pour de bon ? Si oui, pourquoi ne s'était-il pas manifesté plus tôt ? Voilà qui mettait Cook dans une position diaboliquement délicate. Le fait que personne d'autre dans la salle ne sache cela, pas même Milke, ne changeait rien. Qu'était-il censé faire, maintenant – s'attarder sur les bons côtés de Milke ou une stupidité de ce genre ? Non, Milke demeurait un trou-du-cul. Qu'on lui donne quelques minutes et Cook se serait facilement rappelé pourquoi et l'aurait aisément démontré.

« Je dois dire que j'ai un peu perdu ma foi en Arthur, dit Woeps. Si certaines de ses observations sont pertinentes » – il jeta un œil à Aaskhugh – « la teneur générale de sa personnalité semble assez misanthrope.

– Loin d'être le gentil linguiste bonhomme qu'il semblait être, ajouta Milke.

– Ce qui ne diminue en rien la gravité du crime », lança Cook ; jugement qui suscita spontanément l'adhésion générale. Cependant, tout en disant cela, il réalisa que, bien au contraire, la noirceur de la victime rendait peut-être son meurtre moins odieux. « Et puis, il y a Henry Philpot. Sa mort change tout. Je peux imaginer que n'importe lequel d'entre nous puisse tuer quelqu'un accidentellement et, pris de panique, tâche de dissimuler son crime. Mais en ce qui concerne Philpot, c'est autre chose.

– Vous avez raison, dit Milke. Un homme fort sympathique.

– Un type correct, dit Aaskhugh. Rien à signaler.

– Je me demande, fit Milke, si quelque chose dans le bureau d'Arthur pourrait nous indiquer qui il allait voir ce soir-là. Son agenda, par exemple.

– Ou ses notes, dit Wach avec enthousiasme. Il commence à apparaître sous un jour de plus en plus étrange. Il y fait peut-être mention des rencontres avec son… son contre-ami.

Puis Cook prit la parole :

– J'irai dans son bureau cet après-midi pour jeter un œil sur ses travaux en cours, ceux dont Emory nous a parlé la dernière fois. Je m'efforcerai de trouver tout ce qui pourra nous éclairer sur notre affaire.

– Hmm… fit Milke. Cela vous met dans une position plutôt privilégiée, non ?

– Si je trouve quoi que ce soit, soyez sûr que je vous le montrerai.

– Ou vous vous en débarrasserez si ça vous implique, lui rétorqua Milke.

– Nous devrions tous y aller en même temps, proposa Aaskhugh.

– C'est vrai, renchérit Milke en hochant la tête. Et le plus tôt sera le mieux.

– Ma foi… Ce n'est pas très orthodoxe. » Wach fit la moue et continua : « Et pourtant Emory et Adam n'ont pas tort. En ce qui concerne les effets personnels d'Arthur, sa femme est venue les récupérer la veille de son, euh… donc, nous n'avons pas à nous soucier de… ma foi, de ce que penserait la famille, et tout ça, et si nous… » Il consulta sa montre. « J'ai un rendez-vous avec le lieutenant Leaf dans quarante minutes, et il risque de trouver ça suspect s'il nous surprend en train de fouiner dans le bureau d'Arthur. Il faudrait qu'on fasse vite. » Il se mordit la lèvre inférieure, puis tapa dans ses mains d'un air décidé : « Bien. Allons-y. »

Son impulsivité fut contagieuse, et, comme un seul homme, ils se levèrent tous les cinq de leurs sièges. Ils sortirent du bureau de Wach et attendirent que celui-ci récupère le passe auprès de Mary-la-secrétaire, qui scruta le groupe d'un air inquiet, comme si elle craignait qu'ils aient conspiré pour s'en prendre à elle. Puis les hommes se précipitèrent dans le couloir jusqu'au bureau de Stiph. Tandis qu'ils avançaient, Cook eut l'impression qu'ils formaient une sorte de cercle infernal d'une complexité glaçante : chaque homme tenant un couteau sur la gorge de celui qui le précédait, prêt à la lui trancher à la moindre sensation de métal s'enfonçant dans la sienne.

Les stores étaient baissés dans le bureau de Stiph, et Wach chercha à tâtons l'interrupteur dans le noir tandis que les linguistes pénétraient lentement dans la pièce. Le temps qu'il mette la main dessus, tous s'étaient éparpillés dans la pièce, prêts à entamer les recherches. Wach leur demanda fermement de ne pas tout mettre en désordre. Cook entreprit de fouiller le tiroir du haut d'une armoire, s'emparant de documentations sur divers colloques, de correspondances et de photocopies d'articles.

« Regardez ! dit Aaskhugh depuis le bureau dont il vidait consciencieusement les tiroirs. Des magazines de cul ! » Il en brandit deux en l'air. Milke le rejoignit et lui en prit un des mains, qu'il tenta de dissimuler, l'air de rien. L'instant d'après, lorsqu'il se rendit compte que tous les regards étaient tournés vers lui, il remit le magazine en place.

« Et il y a quelques cachets, dit Aaskhugh. Du Tofranil. Respecter les doses prescrites. » Il releva la tête. « Quelqu'un connaît ?

— Adam, arrêtez vos bêtises, s'écria Wach depuis l'angle près de l'entrée, où il feuilletait un fin carnet noir. Cela n'a à l'évidence rien à voir avec notre présente mission.

— On ne sait jamais, dit Aaskhugh, un peu penaud.

— Il n'y a pas grand-chose ici, dit Woeps face à une seconde armoire, exhibant une vieille boîte de kleenex cabossée en guise d'illustration.

— Ici non plus, dit Milke en refermant bruyamment un tiroir.

— Rien non plus dans son agenda, dit Wach.

— Faites voir, Walter, dit Milke. Vous pouvez passer en revue la zone que je viens d'inspecter si vous voulez.

— Entendu.

Les deux hommes échangèrent leurs places.

— Ce sont les notes qui rendent compte de ses travaux sur l'acquisition des termes exprimant une notion d'estime, fit Cook en sortant un épais dossier du deuxième tiroir du meuble. Des remarques sur les éloges, d'autres sur le ridicule… voici quelque chose sur les injures. Je pense que je vais emporter tout ça. Alors, si vous voulez y jeter un coup d'œil, c'est le moment. »

Woeps et Aaskhugh s'approchèrent. Il leur tendit à chacun une liasse de papier. « Ensuite, vous échangerez », dit-il.

Au bout de quelques minutes, Milke et Wach se joignirent à eux et les cinq hommes passèrent soigneusement en revue les nombreuses pages de notes.

« Voilà une chose intéressante, dit Milke. Je veux dire juste intéressante, pas importante pour nous. On dirait un tableau figurant un échantillon d'enfants selon… ma foi, je ne sais pas. Il est intitulé "Diagramme Amour-Haine : Wabash 4-5 ans". Les initiales d'une douzaine de gamins figurent sur les deux axes. Vous voyez, Jeremy ? »

Il montra le tableau à Cook. Tout à gauche, juste avant la première colonne, figurait la mention « AGENTS », tandis qu'au-dessus de la première ligne, on pouvait lire « PATIENTS ». Dans les cases situées aux intersections des différentes initiales, il y avait soit un « A », soit un « H », et un espace vide ou un tiret lorsqu'un nom correspondait à lui-même.

« Peut-être, "A" pour "Amour", Emory ? Et "H" pour "Haine" ? hésita Cook.

– Je crois que c'est bien possible. La colonne à gauche, celle où il y a "Agents", ça pourrait être ceux qui aiment et qui détestent, et dans les lignes, ça précise ceux qui sont aimés ou détestés.

– C'était probablement quelque chose qu'il développait comme une sorte de source de référence pour ses observations, dit Cook. Vous savez, si T.T. disait à L.W. "Tu es une grosse crotte de nez", Stiph pouvait vérifier si T.T. aimait ou détestait L.W.

– Pensez-vous qu'il s'agisse d'un système comprenant deux possibilités uniquement ? Et comment pouvait-il savoir ?

– Les espaces vides indiquent peut-être des sentiments forts dans un sens comme dans l'autre. Et il pouvait probablement tirer des conclusions en observant les enfants, ou d'après les rapports des puéricultrices, qui connaissent les enfants mieux que nous.

189

Et puis, il est assez facile de savoir qui apprécie qui. Avec les enfants, tout du moins. »

Le téléphone de Stiph se mit à sonner. Les hommes se figèrent et le regardèrent comme s'ils s'attendaient à entendre en sortir une voix d'outre-tombe. Aaskhugh, qui était le plus près, décrocha et annonça d'une voix guillerette : « Bonjour, ici le Club des contre-amis. Puis-je prendre votre réservation ? » Puis il ricana. Il hocha la tête plusieurs fois. « Entendu, Mary », dit-il. Il raccrocha et se tourna vers Wach. « Le lieutenant Leaf est arrivé. Mary nous l'a envoyé.

– Oh merde, fit Wach. Sortons d'ici. Ce n'est pas bon. Rangez-moi tout ça, Adam. Jeremy, vous pouvez emporter ces notes. Je pense que nous les avons tous vues.

– On se fait prendre la main dans le sac », marmonna Woeps en ouvrant la porte qui donnait sur le couloir.

Le lieutenant Leaf, bras croisés, était adossé à la cloison d'en face, et, de nouveau, il nomma les linguistes les uns après les autres tandis qu'ils sortaient du bureau de Stiph.

Chapitre dix

Cet après-midi-là, Cook fit le point sur ses notes afin de préparer la session d'enregistrement de Wally Woeps prévue dans la soirée. Les ayant déjà relues une quarantaine de fois, il finit par les ranger, complètement barbé. Il s'en voulut. Il espérait ne pas se lasser des idiophé-nomènes avant d'avoir trouvé et écrit quelque chose d'intéressant à leur sujet. Il regarda sa montre. Il avait à peu près une heure à tuer avant d'aller *Chez Max*, manger copieusement et boire avec retenue, puis de se rendre chez Woeps pour récupérer Wally. Pour passer le temps, il pouvait travailler à sa conférence sur les noms, mais cette perspective était tellement rébarbative qu'elle lui donna presque l'envie de ramper sous son bureau pour pleurer. Les travaux inachevés d'Arthur Stiph représentaient un sujet autrement plus enthousiasmant.

Il prit le lourd dossier sur le dessus de la pile et se mit à le parcourir. Bien vite, il lui apparut clairement que l'essentiel du matériau était de type liminaire, exploratoire. Car nulle part Arthur n'explicitait quelles hypothèses il souhaitait démontrer dans ce domaine, et Cook n'avait qu'une vague idée de la conclusion vers laquelle tendaient les notes. Il tomba sur le « Diagramme Amour-Haine : Wabash 4-5 ans » et le consulta, tâchant négligemment d'établir les correspondances entre les initiales et les noms des enfants. « D.M. » devait être Daniel Masters, un petit gars couvert de taches de rousseur, une petite brute, qui n'aimait personne, une vraie boule de nerf – ses yeux longèrent la ligne jusqu'à une case remplie d'un « H » – « Z.W. » Très certainement Zebra Whipple. Ce que Cook jugea fondamentalement pertinent, vu que Daniel avait à deux reprises essayé de lui fracasser la tête à l'aide d'une planche (démonstration d'animosité un peu plus convaincante que le presque quotidien « Tu n'es plus mon copain » qu'il avait entendu dans la salle de jeu – ou, à un autre niveau, le genre de relation dans laquelle Aaskhugh et, apparemment, même Stiph, étaient engagés).

Lorsqu'il posa les pieds sur son bureau et se tourna vers la fenêtre, dans sa position préférée, le « Diagramme Amour-Haine » fut éclairé à contre-jour et des notes rédigées au dos du document rendirent sa lecture plus laborieuse. Cook trouva cela d'abord pénible, puis, intrigué, il retourna la feuille. Au verso, titré « Diagramme Amour-Haine : Hommes adultes à Wabash », se trouvait un tableau tout à fait semblable à celui qu'il venait d'étudier. Seuls les noms étaient différents.

	Aaskhugh	Cook	Milke	Orffmann	Stiph	Wach	Woeps
Aaskhugh	–	A		H			H
Cook	H	–	H	H		H	A
Milke		A	–	H		H	
Orffmann	A	A	A	–		A	A
Stiph					–		
Wach		A	H	H		–	
Woeps	H						–

PATIENTS

AGENTS

Instantanément, Cook fut fasciné. La visite de Dieu en personne – qui serait passé en coup de vent, histoire de justifier le fléau de la peste bubonique ou la présence de Walter Wach sur Terre, par exemple – ne l'aurait pas davantage étonné.

Mais était-ce une analyse correcte de la structure sociale sous-jacente de Wabash ? Cook étudia la colonne où son nom figurait comme Agent. Effectivement, ce n'était pas joli-joli, enfin bon… Il les détestait tous, tous à l'exception de Stiph, au sujet duquel il s'était, disons, interrogé, mais n'avait vraiment pas réussi à décider s'il devait l'aimer ou le détester. Et Woeps ? Oui, on pouvait parler d'amour, dans le sens où il pensait à lui chaque jour, se préoccupait souvent de sa vie de famille, et parce que Woeps lui manquait beaucoup quand il ne venait pas au travail ; il se faisait du souci pour lui et souhaitait l'aider de son mieux. Du bon travail, Arthur. Observation pertinente.

Le profil d'Orffmann était frappant. En tant qu'Agent, il aimait tout le monde à l'exception de Stiph. Cependant, il n'était guère apprécié en retour. Cook réfléchit à cet état de fait. Orffmann avait un côté lèche-bottes, toujours à exprimer systématiquement de l'admiration pour tous. Il était rare qu'il se fasse inviter à déjeuner – il mangeait souvent seul, à son bureau, le casse-croûte qu'il avait apporté –, on parlait assez peu de lui, et lorsque cela se produisait, ce n'était jamais en de bons termes. Ce qui signifiait qu'il y avait une épouvantable asymétrie dans la vie d'Orffmann. C'était un parfait exemple de non-réciprocité. Cook trouva cela soudain assez triste. Dans son souvenir, le rire solitaire d'Orffmann sonna d'un coup creux, presque implorant.

Cook étudia sa colonne, plissa les yeux d'étonnement et la scruta davantage. Était-ce bien représentatif de la réalité ? Était-il – ses boyaux grondèrent rien que d'y penser – réellement *aimé* par Aaskhugh, Milke, Orffmann et Wach ? Et pourquoi pas par Woeps ? Pourquoi y avait-il une case vierge à l'intersection de l'Agent Woeps et du Patient Cook ? Le graphique devait être inachevé, ou peut-être que Stiph s'était trompé. Il en chercha d'autres. Aaskhugh et Woeps – oui, ces « H » semblaient effectivement décrire la nature des sentiments entre eux. Idem pour Milke et Wach. Toutefois, il y avait là quelque chose d'atrocement erroné dans la perception qu'avait Stiph du Patient Cook.

Les cases de Stiph étaient étonnamment vides, aucune émotion ni comme donneur ni comme receveur. Peut-être était-ce dans un souci d'objectivité – en tant qu'« enquêteur principal » de ce projet, il se sentait peut-être dans l'obligation de n'émettre aucun jugement sur lui-même. Et cependant, il semblait y avoir quelque chose de pertinent dans ces cases vides, aussi bien verticalement qu'horizontalement. En tant qu'Agent, il était à l'écart, avec ses manières somnolentes, interagissant peu avec les autres linguistes. Et comme Patient, il correspondait à l'image que Cook se faisait de lui : l'objet curieux d'une attention distante, une source d'amusement bon enfant, mais pas une personne en mesure de susciter l'amour ou la haine. Bien sûr, Cook avait entendu Aaskhugh traiter Stiph de « pauvre feignasse », mais de tels mots dans la bouche d'Aaskhugh n'indiquaient pas nécessairement qu'ils se haïssaient. Aaskhugh utilisait la langue conformément à l'usage qui, selon lui, devait en être fait. Même Orffmann, selon Stiph, ne versait pas à son endroit dans l'admiration béate qui caractérisait toutes ses autres relations. Il était dommage, toutefois, que le graphique fût silencieux concernant Stiph. Un petit « H » – ou deux, pour la réciprocité – et Cook aurait connu l'identité du contre-ami et assassin de Stiph. Il avait besoin de quelque chose comme ça, un regard extérieur, d'une brutale honnêteté qui lui apporterait sur un plateau le meurtrier et son mobile.

Il étudia davantage le diagramme et remarqua qu'il y avait plus de « H » que de « A ». Il se demanda si cela s'appliquait à tous les groupes de personnes, y compris, disons, aux membres d'œuvres caritatives ou aux congrégations religieuses. Il nota également que s'il y avait réciprocité dans la haine (Aaskhugh-Woeps, Milke-Wach), il n'en était pas de même avec l'amour. Cela signifiait-il qu'il n'existait pas d'amitié authentique à Wabash ? Non. Là encore, Stiph devait s'être trompé à propos de Woeps. En outre, une célébrité quelconque avait un jour dit que l'amitié entre deux personnes était caractérisée par leur antipathie pour les mêmes choses, or Cook et Woeps trouvaient tous deux Aaskhugh détestable. Bien sûr, Cook et Milke n'aimaient ni l'un ni l'autre Wach, et pratiquement tout le monde éprouvait de l'antipathie pour le pauvre Orffmann, tout cela prouvant que…

Cook se leva, regarda par la fenêtre et soupira. Qu'est-ce que cela prouvait ? À quoi tout cela rimait-il ? La perverse futilité de Stiph était-elle donc sans fin ? Ce graphique froidement analytique, la méchanceté générale qui s'en dégageait, son Club des contre-amis – ce dernier élément peut-être, plus que le reste, Cook y avait à un moment vu une idée fascinante. Séduisante, *sympathique*, pour reprendre le terme qu'il avait utilisé à ce sujet avec Leaf. De sa fenêtre, il regarda en bas, vers le parking, où il avait l'habitude de voir Clyde Orffmann extirper de sa voiture sa carcasse lasse et mal-aimée pour se traîner jusqu'au bâtiment où il exerçait son métier avec incompétence, et il se demanda si Orffmann, lui, aurait trouvé ça *sympathique*.

Quand Cook passa prendre Wally, c'est Helen, la femme de Woeps, qui vint lui ouvrir. Comme à l'accoutumée, elle se pencha en avant pour qu'il l'embrasse sur les lèvres. Il ignorait le pourquoi de cette pratique, mais comme, même la quarantaine bien tassée, elle était restée très belle, il s'y adonnait avec plaisir. Bien qu'assez nerveuse, Helen pouvait être considérée comme un des heureux événements de la vie de Woeps. Et assurément, Cook la trouvait charmante. Cependant, il s'était récemment retrouvé dans une situation embarrassante avec elle. Le prenant à part, elle lui avait déclaré combien elle était contente de ce qu'il faisait pour son mari au sein et en dehors de l'institut, tout en lui serrant doucement mais chaleureusement le bras.

Ed était à l'étage avec Amy, et quand Cook fut annoncé, il cria quelque chose à propos d'un siège auto. Helen fit sortir Cook et l'aida à détacher un des sièges pour enfant de leur break pour l'installer dans la Valiant. Pendant qu'il était occupé à ça, un homme et une femme, qui étaient sans aucun doute les parents d'Helen, apparurent au coin de la maison. Wally se penchait en avant dans sa poussette et montrait Cook du doigt, comme s'il identifiait celui qui lui avait volé son biberon. Helen présenta le linguiste à ses parents. Wally se laissa faire quand Cook le sortit de la poussette, le prit dans ses bras pour le sangler dans le siège auto et repartit au volant de sa voiture, au milieu d'une nuée d'au revoir.

Wally fut silencieux durant tout le trajet jusqu'à Wabash, se contentant de sourire, rafraîchi par le courant d'air qui filtrait par la vitre avant. Devant le bâtiment, il décida d'observer un pissenlit dans l'herbe. Cook le laissa faire. Wally le ramassa et le tendit à Cook. Celui-ci prit le pissenlit et remercia Wally. Compte tenu du nombre de fois où l'opération se reproduisit, Wally devait la trouver particulièrement gratifiante. Cook finit par balancer derrière lui sa poignée de pissenlits abîmés et prit Wally dans ses bras. Comme il déverrouillait la porte de devant, Wally déclara : « *Hou-vrr* ». Alors Cook lui confia ses clés pour qu'il joue avec, et ils entrèrent. Il laissa Wally appuyer sur le bouton de l'ascenseur, et quand la porte s'ouvrit Wally fit : « *Mon-hon* », et Cook acquiesça.

Une fois en haut, il emmena Wally dans son bureau et le posa au sol avec ses clés et quelques livres sur la sémiotique qu'il n'avait aucune intention de lire. Tandis que Wally commençait à arracher les pages, Cook ouvrit la porte de la salle de sport qui se trouvait juste de l'autre côté du couloir. Il alluma les lumières, regarda à l'intérieur et se réjouit d'y trouver la plupart des jouets mobiles que Woeps avait désignés comme source de plaisir ou de déplaisir pour son fils. Malheureusement, il n'y en avait qu'un de cette dernière catégorie dont Woeps avait connaissance – un grand bidule avec des rouages, qui ressemblait à une sorte de montre géante dont le fond aurait été retiré. Lorsqu'on le remontait, les engrenages se mettaient en branle en émettant un désagréable bruit creux. Cook ne l'aimait pas trop lui non plus. Il cacha les autres jouets derrière un large paravent près de l'entrée, car il savait que Wally ne disait *m'boui* qu'une seule fois à propos d'un objet dans une situation sociale donnée, et il voulait être sûr de savoir à propos de quel objet il émettrait le fameux babillement.

Il traversa le couloir et amena Wally dans la salle, après avoir refermé la porte du bureau derrière lui. Il vérifia la cassette dans le magnétophone fixé sur un mur en hauteur, et prit un grand bloc de papier vierge. Il s'approcha de l'endroit où Wally se tenait, occupé à sucer son pouce, et s'assit un moment avec lui pour le mettre à l'aise. Wally semblait un peu décontenancé par le vide de la pièce, car il ne la connaissait qu'encombrée de ses petits camarades. L'opportunité qui lui était donnée d'être l'unique possesseur de chaque jouet et de tous les équipements parut le rendre soupçonneux. Ce qui ne gêna guère Cook. Il s'y était attendu et n'avait donc même pas mis en route le magnétophone. Il attendrait. Il aperçut sur une chaise un exemplaire de *Drôles de chansons*, qu'il lut à Wally pour l'aider à se détendre. Cook n'avait pas relu ces comptines depuis bien longtemps et il s'émerveilla de la cruauté de certaines et de la construction grammaticale d'autres. Wally cessa de s'y intéresser juste au moment où Cook finissait la « Chanson du professeur ». Il s'approcha du petit toboggan et entreprit de l'escalader. Il commença à babiller mais Cook, la paupière lourde et pris de bâillements, jugea bon d'attendre encore une vingtaine de minutes que Wally retrouve son comportement social normal. Alors seulement, il se leva afin de mettre en marche le magnétophone.

Comme il traversait la salle, Wally le regarda et prononça *m'boui* avec une intonation clairement montante. Cook répondit à Wally que lui aussi l'aimait. Il démarra l'enregistrement et attendit quelques minutes avant de sortir une petite voiture en forme d'insecte, qui se remontait, une des préférées de Wally. Avec une prévisibilité presque ennuyeuse, Wally salua son mouvement avec le même *m'boui* d'approbation que celui qu'il venait d'adresser à Cook. Quelques minutes plus tard, Cook présenta à Wally un autre de ses jouets préférés, un petit canard, et, sans le remonter, il le disposa au sol à un moment où Wally ne regardait pas. Lorsque l'enfant finit par le remarquer, il poussa un cri perçant, sourit, se leva et s'en approcha, le tapa par terre, le mit dans sa bouche et lui administra toutes sortes d'autres traitements, mais ne prononça pas *m'boui*. Quand l'enfant reposa le jouet, Cook s'empressa de le remonter, et l'engin se mit à avancer. Cette fois-ci, le *m'boui* montant de Wally fit rire Cook.

Vint ensuite la partie pénible. Il récupéra le grand machin mécanique bizarre que Wally n'aimait pas de derrière le paravent près de la porte et le posa à l'entrée. Il saisit un bout du long filin et tira l'engin derrière lui jusqu'au milieu de la pièce. Il patienta pendant que Wally jouait, lui tournant le dos, avec une sorte de cube en plastique qui provoquait chez lui des fous rires se répétant à intervalles réguliers. Accroupi là, Cook eut l'impression de jouer le rôle du cow-boy stupide et méchant dans un film de seconde zone, cherchant à faire tomber l'autre cow-boy tout aussi stupide, mais gentil celui-là, en tirant sur une corde au moment où il allait passer. Le cube perdit de son pouvoir hilarant sur Wally, qui se retourna à un moment donné, comme pour dire : « Bon, et maintenant ? » Cook commença alors à tirer le jouet, lentement, d'un mouvement régulier. Le jouet émit un son creux et Wally se mit à le fixer, les yeux écarquillés. Le *m'boui* qu'il prononça resta un instant sur la même note, puis devint plus grave, insensiblement au début, puis de plus en plus, jusqu'à la tonalité la plus basse que Wally pouvait atteindre. L'enfant courut vers Cook, faisant un large détour pour ne pas s'approcher du jouet, et tendit les mains pour que le linguiste le prenne dans ses bras. Ce que fit Cook qui décocha ensuite à la montre géante un coup de pied pour l'envoyer valdinguer hors de vue, à nouveau derrière le paravent, puis il présenta ses excuses au garçon.

Il décida que Wally avait besoin d'une pause. Il se releva et l'emmena jusqu'au magnétophone. Tandis qu'il vérifiait le temps d'enregistrement encore disponible sur la bande, il sentit la main de Wally lui pincer douloureusement le cou, et le corps du garçon se crispa tandis qu'il lâchait un nouveau *m'boui*. Comme quelques minutes plus tôt, l'intonation fut descendante. Cook détacha la petite main de son cou et se retourna pour voir ce que l'enfant regardait. Un bout de l'effrayant jouet à ressort dépassait de derrière le paravent et Wally avait les yeux tournés dans cette direction, allant nerveusement de l'une à l'autre extrémité du paravent.

Deux choses déroutèrent Cook : le grand bidule ne bougeait plus, et Wally lui avait déjà attribué un *m'boui*. Il éteignit le magnétophone. Puis il entreprit de faire sortir Wally dans le couloir pour une petite promenade, mais cela impliquait de passer devant le paravent qui se trouvait contre le mur, près de l'entrée. Ce qui faisait peut-être trop pour Wally, qui se mit à pleurnicher, gigoter et griffer le cou du linguiste, si bien que ce dernier se retourna et sortit de la salle par le côté opposé. Cela parut convenir à Wally. Cook le posa par terre et le suivit jusqu'à la porte menant au couloir principal, près des toilettes. Cook la lui ouvrit et tous deux rebroussèrent chemin en empruntant le corridor incurvé en direction du bureau de Cook à un rythme abominablement lent. Lorsqu'ils y parvinrent enfin, il y avait sur leur droite la porte ouverte donnant sur la salle de sport – celle que Wally avait refusé d'emprunter. Cook observa l'enfant tandis qu'il y entrait en se pavanant et passait devant la montre géante sans y prêter la moindre attention – comme s'il l'avait complètement oubliée.

Près de l'entrée, Cook s'assit sur un pouf et regarda Wally jouer au milieu de la salle. Il bâilla, s'étira et étendit ses jambes. Il secoua énergiquement la tête au moment où il se sentit s'assoupir, puis il se releva. Il allait récolter encore quelques *m'boui* positifs (il trouvait les négatifs trop douloureux) puis ramènerait Wally chez lui. Il remit en marche le magnétophone et, dans un craquement de genoux, rejoignit le petit au sol. Il prononça quelques mots gentils à l'attention du garçon afin qu'il soit dans de bonnes dispositions.

C'est alors que, par la porte ouverte, il entendit un raclement, un raclement qu'il n'aurait pas dû entendre. Ou bien était-ce son imagination ? L'état d'alerte dans lequel était Wally – il venait de se retourner et regardait lui aussi vers la porte, l'air d'attendre quelque chose – confirma son soupçon et le fit frissonner. Le bruit semblait provenir de son propre bureau, de l'autre côté du couloir, dont il avait clos la porte, mais qu'il n'avait pas verrouillé. Il se leva pour aller voir. Son estomac se serra lorsqu'il se rendit compte qu'il se déplaçait sur la pointe des pieds. Arrivé à deux pas de son bureau, il jeta un œil par-dessus son épaule. Wally l'observait avec le plus grand intérêt. Très délicatement, Cook tenta d'actionner la poignée.

Elle était fermée à clé. Pourtant ses clés étaient au sol, à l'intérieur, car Wally avait joué avec. La porte n'avait pas pu se verrouiller toute seule. Il n'eut guère à se creuser les méninges pour conclure qu'il y avait quelqu'un derrière. Qui ? Fallait-il qu'il remue ciel et terre pour le savoir ? Si oui, ne serait-ce pas Jeremy Cook, demain, qui se retrouverait assis dans cette chaise, les cheveux rasés, les muscles raidis par la mort ? Il fallait qu'il appelle la police. Mais les autres bureaux étaient, bien sûr, fermés à clé, et le téléphone le plus proche était donc la cabine à pièces située au rez-de-chaussée. Il n'avait pas envie que l'individu de l'autre côté de la porte se carapate pendant qu'il subirait les jeux de mots du lieutenant Leaf.

Un autre raclement. Un froissement de papier. Un grincement.

Il frappa énergiquement à la porte.

« Qui est là ? », demanda-t-il d'un ton autoritaire. Du moins, l'espérait-il.

Pas de réponse.

« Je sais qu'il y a quelqu'un à l'intérieur. Ouvrez ! »

Son injonction lui parut aussitôt complètement idiote et le silence souligna sa bêtise.

« Nom de Dieu… »

Un nouveau raclement, comme une chaise déplacée. Cook écouta attentivement. Soudain un gémissement discret, pathétique, effrayé lui parvint de l'autre côté de la porte. En l'entendant, il tressaillit, bouche bée. C'était surnaturel. Le bruit s'amplifia, puis cessa brutalement. Des bruits de pas lourds s'éloignèrent de la porte, et une sorte de grognement masculin fut immédiatement suivi d'un fracas de verre brisé. Au bout de quelques secondes d'un silence horrible, il y eut un bruit sourd que Cook, même d'où il se trouvait, reconnut instantanément.

« Bon sang. Oh ! bon sang… »

Cook se précipita dans la cage d'escalier, dévala les six étages, tâchant d'imaginer toutes sortes d'autres explications possibles, bien qu'aucune ne fût plus probable que celle qu'il refusait d'admettre. Dehors, dans le noir, la forme noire chiffonnée qu'il aperçut de loin se révéla finalement n'être que le lourd fauteuil en bois de son bureau, dont le dossier était brisé, presque entièrement désolidarisé du reste. Hormis cela, il n'était pas abîmé, car il avait atterri sur de l'herbe tendre. C'était comme si le siège, soudain doté d'une conscience, avait essayé de se suicider en sautant du sixième étage.

Cook leva la tête et regarda la fenêtre de son bureau. Une silhouette sombre penchée au dehors disparut à l'intérieur, et un gloussement moqueur inhabituel, très aigu, s'abattit sur lui telle une pluie torrentielle.

Wally lui revint soudain à l'esprit et, pris de panique, il poussa un cri. Il piqua un sprint jusqu'à la porte et monta les escaliers quatre à quatre. Arrivé en haut, il entendit Wally crier à gorge déployée et pleurer bruyamment dans la salle de sport. Il se précipita dans le couloir. Le garçon était seul, au milieu de la pièce, là où Cook l'avait laissé. Il n'était pas blessé, mais complètement effrayé. Cook le prit dans ses bras et le consola. Wally se mit à sucer son pouce, et, dans le calme soudain, Cook entendit des bruits de pas précipités au bout du couloir, près des escaliers, puis le claquement d'une porte. Il tendit l'oreille mais renonça à poursuivre l'intrus. Il s'installa sur le matelas qui recouvrait le sol au milieu de la salle et s'assit en tailleur, tenant Wally contre son épaule, le berçant délicatement.

« Jeremy, je pensais que vous auriez appris à fermer votre bureau à clé, maintenant. »

Le lieutenant Leaf, débordant de graisse et manifestement mal à l'aise derrière le volant de la voiture de police, dévisageait Cook en disant cela, et il manqua d'accrocher le pare-chocs d'une voiture garée sur le bas-côté en prenant un virage trop serré. Ils retournaient à Wabash après être passés chez les Woeps, où Leaf avait raccompagné Cook et Wally. Cook avait dû appeler quelqu'un pour pouvoir quitter l'institut, car l'intrus lui avait pris ses clés et avait verrouillé son bureau avant de prendre la fuite. Leaf voudrait de toute façon être tenu au courant de l'histoire du rôdeur, aussi l'avait-il appelé de la cabine du rez-de-chaussée. Sa priorité était de ramener le petit chez lui sain et sauf, et de le mettre au lit. Leaf et son chauffeur étaient arrivés à Wabash, et l'inspecteur avait aimablement proposé de les raccompagner, lui et Wally, chez les parents de l'enfant. Sans cérémonie, il avait ordonné à son chauffeur de monter la garde devant la porte du bureau de Cook, le temps qu'ils reviennent. C'est seulement alors, tandis qu'il s'approchait du véhicule de police, que Cook se rendit compte que sa propre voiture avait été volée. Cette nuit n'en finissait pas. Chez les Woeps, Cook changea Wally et le mit au lit sous l'œil amusé de Leaf, qui resta sur le seuil de la chambre de l'enfant. Cook parla à la baby-sitter et lui laissa un message à l'intention d'Ed pour que celui-ci l'appelle dès son retour.

« Croyez-moi, lieutenant, dit Cook quand Leaf reprit la route en direction de Wabash, je peux vous dire qu'à partir de maintenant je le fermerai systématiquement à clé. » Il regarda l'émetteur radio fixé au tableau de bord. « Est-ce que vous pouvez utiliser ce machin pour appeler mon patron ? Sa secrétaire a un passe, et ils pourront nous ouvrir la porte de mon bureau. Pas la peine de la défoncer.

– D'accord, dit Leaf en s'emparant du micro », puis il se tourna à nouveau vers Cook. « Donc… quand vous sortez de la cage d'escalier, les toilettes sont juste à droite.

– Oui.

– Et vous avez pris à gauche.

– Oui.

– Et vous vous êtes dit qu'il se cachait dans les toilettes, qu'il a attendu que vous partiez dans l'autre direction pour pouvoir se glisser dans l'escalier.

– Oui.

– Pourquoi n'avez-vous pas regardé dans les toilettes ? La frousse ?

– Non. Wally pleurait. J'étais inquiet pour lui.

– Mais ça n'aurait pris qu'une seconde…

– Le môme hurlait. J'ignorais ce qui lui arrivait.

– Ah. Leaf réfléchit. De même que vous avez automatiquement pensé que le gars avait sauté par la fenêtre.

– Comment ça ?

– Pourquoi l'enfant pleurait-il, selon vous ? demanda Leaf, ignorant la question de Cook. Pensez-vous que ce gars lui ait fait quoi que ce soit ?

– Non. J'ai eu l'impression que le petit n'avait rien. Contrarié, c'est tout. Peut-être parce que je l'avais laissé tout seul. Je m'en suis terriblement voulu.

– Plus de peur que de mal. »

Leaf roulait à toute vitesse sur la route de campagne. Cook jeta un œil au compteur. Plus de cent trente-cinq kilomètres à l'heure. Il saisit la ceinture de sécurité qui pendouillait à ses côtés.

« La ceinture est fichue, dit Leaf. D'après vous, qui était-ce ?

– Ça aurait pu être n'importe lequel d'entre nous, à part Woeps, j'imagine.

– Pourquoi pas Woeps ?

– Il est de sortie avec sa femme et ses beaux parents.

– Je vérifierai ça. Avez-vous appelé chez les autres pour voir s'ils étaient chez eux ?

– Quand ? Vous voulez dire après que… il laissa sa phrase en suspens et se frappa le front.

– Oui. Juste après la fuite du gars. En fonction de s'ils étaient chez eux ou sur la route, cela nous aurait fourni une indication. Vous ne l'avez pas fait, si ?

– Non.

Leaf resta silencieux un moment. Puis il dit :

– Ce gars Woeps, c'est votre ami, n'est-ce pas ?

– Exact.

– Et vous pensez que ce qui est arrivé ce soir l'innocente ?

– Dans mon esprit, oui.

– Et est-ce que c'est censé aussi l'innocenter dans le *mien* ?

Cook dévisagea le policier.

– Ralentissez, lieutenant, bon sang. Vous roulez trop vite.

Leaf leva docilement le pied.

– Je me fiche de ce que vous pensez, dit Cook.

– Y a-t-il une seule raison pour que je ne vous accuse pas d'avoir inventé tout ça ?

Cook éclata de rire, incrédule.

– Cela ne rime à rien. C'est une assez bonne raison.

– Si ce n'est que ça innocenterait votre ami. Mais en fait, non. C'est facile pour un homme acculé de demander à sa famille de mentir pour lui. Je veux que vous sachiez que j'ai l'intention d'ignorer ce qu'ils auront à me dire.

– Mais dans ce cas, où est ma voiture ? demanda Cook, qui s'en voulut une fois de plus de laisser Leaf mener la danse.

– Dites-le moi, vous.

– Aucune idée.

– Dommage pour vous. »

Cook décida de se taire. Qu'était-il censé faire maintenant ? Bouder ?

« Bien, fit Leaf sur un ton complètement différent, comme s'ils venaient juste d'entamer la discussion. Pour quelle raison ce gars se trouvait-il dans votre bureau, selon vous ?

Il ralentit et s'engagea sur la petite route qui longeait la rivière et remontait jusqu'au bâtiment.

– Je ne sais pas, répondit Cook avec lassitude. On le saura peut-être quand mon patron arrivera pour nous faire entrer. »

Mais l'élucidation n'eut pas lieu. Wach arriva, dans sa tenue habituelle, chemise-cravate, puis ce fut au tour de Mary-la-secrétaire, des bigoudis dans les cheveux. Mary permit à Wach d'accéder à son bureau, après quoi celui-ci la renvoya chez elle. Ensuite, Wach ouvrit le bureau de Cook. Hormis l'absence du siège et quelques morceaux de verre par terre, la pièce semblait être dans le même état que lorsque Cook l'avait vue pour la dernière fois. Il regarda dans les tiroirs de son bureau et dans le meuble où se trouvaient ses dossiers. Rien ne semblait avoir été dérangé. Wach le dévisagea, l'air préoccupé, mais il semblait ne pas le prendre trop mal. En tout cas, il n'ordonna pas à Cook de sauter dans sa voiture sur le champ pour se rendre à Indianapolis afin d'y faire une conférence sur les adverbes au sein de la tribu Kickapoo. Il demeura stoïque. C'était une croix de plus à porter, et il la porterait. Lui et Wabash la porteraient.

Quand Cook eut fini d'examiner ses affaires, il se tourna vers la fenêtre, se demandant ce qu'il fallait penser de tout cela, et c'est alors que son téléphone sonna.

« Ce doit être Ed, dit-il aux autres. Je voulais qu'il soit mis au courant dès son retour. »

Il décrocha.

« Qu'est-ce que votre voiture fiche devant mon garage, Jay ?

C'était, bien évidemment, Aaskhugh.

– Depuis combien de temps y est-elle, Adam ?

– Je n'en sais rien. J'arrive à peine. Les clés sont sur le contact. Et il y a un siège bébé. J'ignorais que vous aviez un gamin, Jay. Que se passe-t-il ? »

Cook le lui expliqua. Ou tâcha de le faire. Il lui dit qu'il n'allait pas tarder à venir récupérer sa voiture. Il réussit à ne pas lâcher davantage d'informations à Aaskhugh, qui essayait évidemment de lui tirer les vers du nez, raccrocha, puis rapporta à Leaf et Wach ce que son collègue venait de lui dire.

« Quel bordel, dit Leaf. Je vous accompagne, Jeremy. Je veux inspecter cette voiture.

– Au cas où il y aurait des empreintes digitales ?

– Non. Une bombe.

– Vraiment ?

– Non pas que je m'attende à en trouver une, mais… c'est un peu comme vous et le fils de votre ami. Je serais responsable, s'il vous arrivait quoi que ce soit. Je pense que nous n'avons plus rien à faire ici. »

Le téléphone sonna à nouveau. Woeps, cette fois-ci. Cook lui expliqua ce qui s'était passé. Comme Leaf le lui avait à l'instant rappelé, il souligna qu'il n'était rien arrivé à Wally et que son fils n'avait absolument pas souffert mais juste eu un peu peur. Woeps l'écouta sans l'interrompre et lui annonça le plus sérieusement du monde qu'ils en reparleraient le lendemain.

Au fil des jours qui suivirent, Cook apprit un certain nombre de choses primordiales : (1) que Wach avait eu la perversité de trouver un titre encore plus rébarbatif pour l'intitulé de sa conférence sur les noms, dont la date fatidique approchait inexorablement ; (2) que Leaf n'était pas n'importe quel flic ; (3*a*) sur un tout autre plan, que les règles de Wach étaient au nombre de quinze, et que la liste pouvait encore s'allonger ; (3*b*) que cinq – oui, *cinq* – personnes ne considéraient pas Cook comme un parfait trou-du-cul ; (3*c*) et qu'il était invité à une soirée ; (4) que Woeps ne blaguait pas du tout quand il avait dit à Cook qu'ils en reparleraient le lendemain ; et (5) ce que l'insaisissable individu faisait dans son bureau.

(1) Le titre de la conférence imposé par Wach, que Cook trouva dans sa boîte aux lettres le lendemain matin de l'enregistrement de Wally et de tout ce qui avait suivi, était désormais : « Usage et magie des noms de lieux dans le comté de Kinsey (Indiana) ». Immédiatement, Cook informa Wach par mémo que l'intitulé devait être « Noms ». Il rédigea le document de manière à ce qu'il ne sonne pas comme un rappel ; toutefois le mémo ne prétendait pas non plus proposer

ce titre pour la première fois, car sinon, Wach, s'il se rappelait la requête antérieure de Cook, digérerait fort mal qu'on le prenne de haut. Sur le plan stylistique, le mémo relevait donc de l'exploit.

(2) Dans l'édition du lundi du torchon local de Kinsey, Cook tomba sur un article qui chantait les louanges du lieutenant Leaf pour ses bons et loyaux services. L'article paraissait à l'occasion du vingt-cinquième anniversaire de l'entrée de Leaf dans les services de police de Kinsey, « fêté » (pour reprendre un terme cher aux journalistes de la presse régionale) la veille au soir par les politiciens et les policiers de Kinsey, entre hommes, dans la salle de banquet d'un hôtel du centre-ville. L'article, pris en sandwich en première page, à dessein eût-on dit, entre deux autres aux titres élogieux, « Un mari tue sa femme sous les yeux des enfants » et « Un chien affamé tué par balle », indiquait qu'aucune « mort suspecte » et seulement quatre-vingt treize affaires de viols étaient demeurées non résolues depuis que Leaf avait intégré les forces de police de Kinsey. Leaf y était décrit par le maire comme un fonceur qui n'a pas froid aux yeux : « Il fonce et ses yeux n'attrapent jamais froid », avait déclaré le maire, produisant là un bel exemple de cet humour qui faisait tant rire les Hoosiers. Cook était sceptique. Chaud ou froid aux yeux, à quel moment Leaf allait-il enfin attraper le tueur d'Arthur Stiph et d'Henry Philpot ? Et comment allait-il s'y prendre ?

À en croire les éléments fournis dans la suite de l'article, l'éthique n'était pas sa priorité. Apparemment, Leaf avait mauvaise réputation auprès des juges de Kinsey en raison de son manque de respect des procédures en matière de perquisitions et de saisies, ainsi que d'autres protocoles officiels que les agents de police étaient censés scrupuleusement observer. La communauté prenait clairement le parti de Leaf sur cette question (ce qui expliquait que cette information complémentaire soit juste habilement glissée dans l'élogieux compte rendu de la « fête »), tant et si bien qu'aucun juge en exercice n'avait jamais été réélu. L'obstination avec laquelle ces derniers avaient osé interpréter la loi (à savoir correctement) avait dû sacrément dérouter l'électorat de Kinsey.

(3a) Par un deuxième mémo, Cook réclama à Wach une nouvelle machine à écrire. Par mémo également, Wach lui répondit poliment, mais par la négative. Ce à quoi Cook réagit à son tour poliment, en réitérant sa demande. Wach réitéra son refus, plus sèchement cette fois, lui rappelant que la machine électrique de Mary-la-secrétaire était à sa disposition. Aux yeux de quelqu'un d'extérieur au service, cela serait passé pour une proposition raisonnable, à défaut d'être généreuse. Cependant, la machine à écrire de Mary, la seule machine électrique de l'étage (en plus de celle de Wach), était à la disposition de *tout le monde*, et ce depuis des années. Donc, Wach n'avait strictement rien concédé. Son geste était comparable ce que l'on appelait un *contre-exemple manifeste* en linguistique (un cas de figure qui, de prime abord, s'apparente à une dérogation à la règle, mais en fait n'en est pas une) ; c'était une contre proposition illusoire, une façon déguisée de dire : « Nan ». On était là au cœur de la RÈGLE DE WACH N°15, laquelle, avait découvert Cook, pouvait être formulée de deux manières : pour éviter d'avoir à donner suite à la requête d'un subalterne, lui offrir l'illusion d'un dialogue d'égal à égal ; ou bien : ne rien donner à quelqu'un qui vous demande quelque

211

chose, mais faire comme si, ce faisant, cela vous fendait le cœur.

(3*b*) Cook parvint à apprendre – dans un cas par un subterfuge téléphonique (Monsieur Philip Henrypot, employé d'un institut de sondage), dans deux autres en le demandant gentiment, et dans un dernier en s'arrêtant au bon moment devant une porte entrouverte pour laisser traîner son oreille indiscrète – que quatre auxiliaires qui, a priori, semblaient ne pas le porter dans leurs cœurs, l'appréciaient pourtant. Il fut amené à entreprendre ces enquêtes en apprenant sans l'avoir cherché ni voulu, via une serveuse de *Chez Max*, qui elle-même l'avait appris d'un membre de l'équipe de basket-ball de Kinsey, camarade de l'ancien petit ami de Mary-la-secrétaire, que celle-ci «admirait» Cook. Ce dernier savait pertinemment que des remplacements lexicaux étaient inévitables lors de la transmission orale des récits, cependant il était fort improbable d'admirer quelqu'un tout en le traitant de trou-du-cul, et vice versa. Le suspect numéro un étant donc désormais innocenté, il avait à contrecœur réouvert l'enquête.

(3*c*) Dans un autre domaine ayant rapport cette fois avec Paula, Cook avait reçu une invitation à une soirée où le personnel de Wabash, ainsi que quelques amis et voisins, étaient conviés. L'invitation venait de Milke, mais la soirée aurait lieu «au domicile de Monsieur et Madame Franck Nouvelles». Cook savait que Nouvelles était le nom de famille de Paula. Au-delà de ça, les possibilités étaient innombrables – Franck était son mari, elle était son épouse, auquel cas Milke et Cook avaient tous les deux perdu leur temps ; ou alors Monsieur et Madame étaient les parents de Paula, et, désireux de surprotéger leur fille, avaient déménagé pour s'installer à Kinsley afin de ne pas la laisser seule pendant la durée de son job d'été ; ou dans le même ordre d'idée, Paula avait grandi ici (hypothèse qui ne pouvait être confirmée par le peu de données linguistiques qu'il avait pu réunir suite à l'unique brève conversation qu'il avait eue avec elle : certes Paula ne *pou-houssait* pas sa voiture quand elle était en panne, cependant elle écrivait avec un *stu-lo*) ; etc. Une simple question adressée à Aaskhugh lui valut une salve de réponses, parmi lesquelles la confirmation de la théorie « Paula-originaire-de-Kinsey ». Bon à savoir, mais à quoi cela l'avançait-il ? Les humbles origines de la jeune femme la rendait-elle moins attirante (et par conséquent, moins *douloureusement* inaccessible) ? Non. Plus atti-rante (et donc, plus *douloureusement* inaccessible) ? Non. Quoi qu'il en soit, la perspective de cette soirée le réjouissait. Enfin un samedi soir qui ne se réduirait pas à rata et linguistique.

(4) Mardi en début de matinée, Woeps vint voir Cook dans son bureau et lui demanda de récapituler les événements de la veille au soir. Il expliqua vouloir être sûr de bien tout comprendre. Il dit également que Wally semblait bien se porter – il l'avait réveillé et méticuleusement examiné juste après s'être entretenu avec Cook au téléphone. Il lui avait également fait ingurgiter de l'ipéca pour le faire vomir au cas où le petit aurait été empoisonné. Cook se demanda pour-quoi Woeps soupçonnait un empoisonnement et, lors-qu'il posa la question, Woeps lui répondit sur un ton quelque peu excédé qu'il était tout à fait envisageable que l'homme qui avait rasé Stiph et lesté Henry Philpot avec une machine à écrire ait été le même que celui qui avait occupé le bureau de Cook la veille, et que pour un individu de cet acabit, empoisonner un bébé pouvait paraître dans l'ordre des choses, voire envisageable et

– il haussa fortement le ton – c'est pour ça qu'il était impardonnable que Cook ait fait ce qu'il avait fait. Cook ne s'était-il pas rendu compte, demanda Woeps, le visage rouge de colère, que toute la combine était un stratagème pour isoler Wally et s'en prendre à lui ? Et Cook, comme un imbécile, était tombé dans le panneau. Ignorait-il les responsabilités qui incombaient à celui qui doit s'occuper d'un enfant ? En vérité, Cook était bien loin d'être aussi parfait que ce que tout le monde pensait ! En hurlant, Woeps réduisit Cook au silence, et lui interdit de le suivre pour s'expliquer. Ses derniers mots, tandis qu'il ouvrait violemment la porte et manquait de peu de faire tomber deux vitriers portant une grande vitre dans le couloir, furent : « Ne m'adresse plus jamais la parole jusqu'à nouvel ordre. »

(5) L'après-midi qui suivit, après un déjeuner morose et solitaire, Cook relut les notes de Stiph sur l'acquisition des termes indicateurs d'estime. Installé dans le siège de Stiph – qu'il était allé, le matin même, récupérer dans le bureau du défunt pour remplacer le sien –, son dos calé à l'endroit où Stiph calait habituellement le sien, il eut la sinistre impression d'être devenu, en quelque sorte, Arthur Stiph. Lorsqu'il arriva à la page du tableau Amour-Haine, il fut un peu étonné de tomber directement sur le diagramme des adultes masculins de Wabash et non pas sur celui des enfants. La veille, lorsqu'il avait fini de l'étudier, il avait considéré ce côté comme le verso et avait donc disposé la page dans l'autre sens. Il scruta attentivement le document et remarqua la chose suivante : des ajouts avaient été tracés avec un tel soin qu'il faillit ne pas s'en apercevoir. La ligne et la colonne de Stiph, auparavant entièrement vierges, étaient à présent occupées par deux « H ». L'un dans la case à l'intersection

214

de l'Agent Stiph et du Patient Milke, et l'autre à l'intersection de l'Agent Milke et du Patient Stiph. Cook scruta attentivement la feuille en l'orientant vers la lumière. L'encre était légèrement différente – preuve que lui, Cook, n'était pas en train de devenir fou. Pas différente au point qu'on l'aurait remarqué en temps normal, mais quand même différente.

Quelqu'un avait tenu le même raisonnement que Cook, avec un degré de ressemblance des plus frappants. Un des suspects avait vu ce diagramme (la feuille avait circulé dans le bureau de Stiph) quand ils en avaient découvert pour la première fois le recto ; il était tout à fait possible que l'un d'entre eux, sans que Cook ne s'en rende compte, ait vu le verso et compris instantanément de quoi il retournait ; puis qu'il ait réalisé les possibilités qui s'offraient désormais à lui ; et qu'il se soit ensuite dit que le document serait accessible le soir même (Cook ayant ouvertement – et stupidement, il en prenait maintenant conscience – fait part à Woeps devant tous les autres de son projet d'enregistrer Wally en salle de sport, et c'était pratique courante chez les linguistes de ne pas fermer à clé leur bureau lorsqu'ils travaillaient dans l'espace central avec les enfants ; il était donc possible que l'individu soit passé à l'action, décidant d'incriminer Milke). Tout le succès de la manœuvre reposait sur le fait que Cook n'était pas censé avoir pris connaissance du document avant qu'il n'ait été maquillé. Ce qui n'était d'ailleurs pas un mauvais calcul, puisque Cook l'avait à peine remarqué. Et s'il ne l'avait pas fait – autrement dit s'il découvrait le document maintenant pour la première fois – qu'aurait-il pensé de cette preuve ?

Il l'aurait considérée comme décisive, reconnut-il. Il aurait effectivement pensé que ce diagramme prouvait la culpabilité de Milke. Il s'imaginait facilement savourant ces « H » et se réjouissant d'avance d'un Wabash débarrassé du barbu. Le choix de ces deux cases était tout à fait judicieux. Il en aurait assurément tiré des conclusions, même si l'idée d'apporter ce document à Leaf le faisait sourire. Premièrement, il aurait ainsi fourni à l'inspecteur la confirmation que les suspects étaient une meute d'enfoirés, de chacals, ou quelque chose de ce goût-là, et Cook aurait eu droit à un discours farfelu sur ce thème. Puis Leaf se serait demandé à haute voix si Cook n'aurait pas pu lui-même trafiquer le document, voire tout inventer, dans le but de faire plonger Milke et de se disculper. Cependant, tout en affectant un grand dédain pour cet indice que Cook lui aurait apporté, Leaf aurait lui aussi considéré qu'il incriminait très sérieusement Milke.

La vision du gros flic se moquant de lui était si prégnante que Cook décida de ne pas parler de cette tentative de piège. Il décida de n'en parler à personne, pas même à Woeps, alors même qu'en parler lui aurait soulagé la conscience à propos de Wally, car il était à présent certain que le rôle du garçon dans la scène du lundi soir n'était que périphérique. Mais Woeps refusait qu'il lui adresse la parole, plongeant Cook dans un dilemme sociolinguistique qu'il aurait trouvé intéressant s'il avait concerné quelqu'un d'autre.

La présence de sa voiture chez Aaskhugh était encore un autre problème. L'intrus ayant sans doute été surpris, ce vol pouvait donc être considéré comme spontané. Il s'agissait certainement d'une tentative de disperser aux quatre vents les preuves de sa culpabilité. Les responsables de coups montés n'ayant d'ordinaire pas l'habitude de laisser traîner des indices les désignant, devait-on en conclure que Aaskhugh et Milke pouvaient être supprimés de la liste des suspects ? Pas si l'on raisonnait comme Leaf. À vrai dire, sur la foi de tels éléments, il aurait envoyé l'un et l'autre à la potence, si l'appareil judiciaire avait bien voulu le suivre. Balancer le fauteuil par la fenêtre avait dû être une décision prise dans le feu de l'action, elle aussi.

Ce qui indiquait que le type était plutôt rusé pour avoir anticipé l'absurde réaction de Cook.

Il semblait en savoir long sur lui. En fait… Une autre pensée lui vint à l'esprit et le fit sourire. L'homme se disait peut-être que le fait que Cook ait préalablement vu le diagramme ou pas n'avait pas d'importance. Peut-être se disait-il que s'il échouait sur un front, il réussirait sur un autre, à titre de *suggestion,* comme pour dire : « Hé, Jeremy (ou Jay), on peut vraiment faire porter le chapeau à Emory en faisant ça. Réfléchis-y. »

Il en frissonna. Ne pas apprécier certaines personnes était une chose. Mais là, il s'agissait de se débarrasser de quelqu'un à moindres frais à cause de cette inimitié. Peut-être y avait-il sur cette terre des individus capables de saisir une telle occasion, mais Cook n'était pas de ceux-là. Et il n'était pas du tout ravi d'être pris pour un individu de ce genre, fût-ce par un assassin.

Chapitre onze

« "Je ne l'ai pas invité pour le vexer."

– Sans intonation spécifique, celui ou celle à qui on le dit comprend que c'est attentionné de votre part.

– C'est ça. Je signifie que je ne souhaite pas, puisqu'il est là, qu'il se fâche.

– Et si vous accentuez ?

– Alors, on souligne la préposition, en mettant l'accent tonique sur le *pour,* et peut-être en glissant un léger silence juste avant, comme dans "Il n'est pas venu… pour m'emmerder".

– Du coup, avec cette intonation, vous parlez de volontairement ne pas l'inviter pour le blesser. Ou lui, de ne pas venir, pour vous faire râler.

– Tout à fait.

Elle sourit.

– C'est excellent. Je vais travailler là-dessus. Le truc, c'est de trouver un principe explicatif général.

– En effet, fit Cook.

Paula le dévisagea un moment. Il la laissa faire et s'efforça d'avoir l'air beau et intelligent. Il déploya aussi de formidables efforts pour trouver autre chose à dire.

– Ça m'a fait très plaisir de discuter avec vous, Jeremy, finit-elle par dire.

– Oh ? Merci, mais… est-ce que ça veut dire que notre conversation est terminée ?

Elle éclata de rire.

– Non. D'ailleurs, le fait que vous pensiez que cela ait pu être mon intention confirme ce que je commençais à croire à votre sujet. Emory va bientôt revenir avec nos boissons, alors il faut que je me dépêche. Écoutez-moi attentivement. J'ai un peu de mal à saisir ce qui vous intéresse exactement chez moi. Ce n'est que la deuxième ou troisième fois que nous avons l'occasion de discuter, alors peut-être que je m'avance, mais il me semble qu'à chaque fois que nous sommes ensemble vous souhaitez ne parler que de linguistique. Je n'y vois aucun inconvénient, bien entendu, mais je ne peux pas m'empêcher de penser qu'il se passe autre chose entre nous. Bien sûr, la linguistique est pour vous l'œuvre de toute une vie, mais si c'était le seul sujet qui vous intéressait, vous ne parleriez que de cela avec tout le monde. Or, je vous ai entendu dans les couloirs et dans les salles de jeux discuter avec Sally, et Ed, et les autres, de toutes sortes de choses. Essayez-vous de vous faire passer pour quelqu'un que vous n'êtes pas ? Et si oui, pourquoi ? »

Cook ne s'attendait pas à ce qu'elle se taise si abruptement, aussi commença-t-il à paniquer. Il chercha une défense verbale. Puis il se ravisa. Le moment n'était ni à la temporisation ni à la fourberie : impossible de se défiler, en tout cas pas face à une jeune femme aussi tenace. Il se ressaisit donc et parla avec honnêteté.

« J'ai envie de vous connaître, dit-il, ne sachant plus très bien à quelle question il répondait, mais convaincu que ceci expliquait tout.

– Eh bien dans ce cas vous devriez parler de moi. Et de vous…

– Mais je me disais que dans la mesure où vous êtes linguiste…

– Je ne suis pas *que* ça.

– Pour être honnête, je voulais vous impressionner.

– Et vous avez réussi… Mais pourquoi ? Et pourquoi voulez-vous me connaître ?

– Parce que vous êtes belle comme un camion. »

Elle éclata de rire de bon cœur. Elle regarda par-dessus l'épaule de Cook et s'empressa d'ajouter : « Peut-être qu'un jour je vous laisserai faire un tour. »

Emory Milke apparut soudain de derrière un Cook momentanément sans voix, deux verres et une bouteille formant un triangle instable entre ses mains.

« Un gin-tonic pour toi, ma chère, articula-t-il la pipe à la bouche en tendant un coin du triangle à Paula. Et une bière pour Jeremy, voilà, et le serveur prend un bourbon, à la bonne vôtre, *tchin tchin*, *prosit*, et ainsi de suite. »

Il retira la pipe de sa bouche et s'envoya une grande lampée. Cook regarda un filet de bourbon dégouliner dans sa barbe. Il jeta alors un œil à Paula pour voir si elle avait remarqué. Par-dessus son verre, les yeux de Paula étaient braqués sur Cook. Il rougit. Elle sourit, se tourna vers Milke et le remercia d'être allé chercher à boire.

« Je t'en prie, ma toute belle, répondit-il. Le désagrément majeur pour moi fut de te laisser entre, ou plutôt à proximité des mains d'un certain professeur Jeremy Cook de l'institut Wabash. Tu noteras que je ne me suis pas attardé à la cuisine.

– Moi, je l'ai remarqué, dit Cook avec étonnement, car il se rendit compte qu'il s'était adressé à Milke sans malice, ni sarcasme ou volonté de l'offenser. Peut-être étaient-ce les trois bières qu'il s'était envoyées avant de venir à la soirée qui le rendaient si amical. Ou bien ce que venait de lui dire Paula.

– Ça en fait, du monde ! fit Milke, en regardant en direction de la cuisine. L'endroit sera bientôt bondé. C'est terriblement sympa de ta part, Paula, d'ouvrir comme ça la maison de tes parents. Et sympa de leur part » – là, il pouffa doucement – « d'être en Yougoslavie. » Il se tourna vers Cook. « Elle est épatante, n'est-ce pas, Jeremy ? Elle ne perd pas de temps, hein ? Trois semaines qu'elle a commencé son boulot ici, et elle organise la plus grande nouba que Wabash ait jamais vue. Non mais, regarde-les. Tous ces gens *mouraient d'envie* de participer à un tel truc. Wach envisage-t-il d'organiser une sauterie ? Que nenni ! Quel triste sire. » Il rigola. « D'ailleurs est-ce que moi j'envisage d'en organiser une ? Non plus. Mais Paula déboule de son sublime Far West sauvage, impatiente de foncer et de festoyer, et elle insuffle tout simplement de la vie dans nos existences moroses, n'est-ce pas ? » Il la dévisagea avec affection et secoua la tête. Un instant, Cook redouta qu'il dise quelque chose comme : « Bonne fifille ! » Ce qu'il rajouta fut tout aussi crétin : « Elle a une de ces patates, j'adore. »

Milke avait prononcé ces derniers mots les dents farouchement serrées, comme s'il détestait Paula. En fait, il parlait juste la pipe à la bouche, la faisant tenir fermement en serrant les mâchoires.

« Comment ça ?... fit Cook, désireux d'attirer l'attention sur la phrase qui venait d'être prononcée.

– Je disais...

– Oh, arrêtez Emory, dit Paula d'un ton enjoué.

221

– Arrêter quoi ? demanda Aaskhugh, s'introduisant dans le cercle. Cook l'avait repéré un peu plus tôt, à l'autre bout de la pièce. La question d'Aaskhugh fit monter en lui la tentation folle de voir si ce dernier, avec un peu d'aide, pourrait faire en sorte que la "patate" de Paula devienne le sujet de conversation numéro un pour le reste de la soirée.

– Emory ici présent, dit Cook, louait la spontanéité de Paula, Adam, ainsi que sa *joie de vivre*[1], et il a résumé le tout en disant…

– Dites, arrêtez, vous tous ! fit Paula en riant. Je suis contente que vous ayez pu venir, Adam. »

Sans répondre à l'amicale formule de bienvenue, Aaskhugh alla droit au but et demanda à Paula quel était exactement le lien entre elle et cette maison, ce que faisaient précisément ses parents et un exemplaire de son curriculum vitæ actualisé.

Milke et Cook sirotaient leur verre. Cook écouta d'une oreille distraite, puis se souvint soudain qu'il devait absolument prêter attention à chaque détail. Il décida d'écouter méticuleusement ce que chacun dirait.

Milke se tourna soudain vers Cook et lui demanda où il en était dans ses recherches. Il ajouta qu'il s'intéressait tout particulièrement à ses progrès concernant les travaux inachevés de Stiph. Cook, mettant toutes ses facultés sensorielles en alerte, dit à Milke que le travail était rendu difficile tant les notes de Stiph étaient dures à déchiffrer – à un tel point que lorsqu'il s'était à nouveau penché dessus après avoir fait une pause et travaillé sur un autre sujet, il s'était vu forcé d'abandonner ses interprétations antérieures, « presque, dit-il,

---

1. En français dans le texte. *(N.d.T.)*

comme si les notes, aussi incroyable que cela puisse paraître, avaient changé dans mon dos ». Il formula cette dernière proposition avec autant d'insinuations, de froncements de sourcils et de battements de paupières qu'il était humainement possible de le faire, mais Milke ne cilla pas et se contenta d'ajouter assez calmement qu'en prenant l'exemple de ses propres notes, il imaginait combien il pouvait être difficile pour quelqu'un de déchiffrer les brouillons d'un autre. Cook jugea cette remarque raisonnable, voire pertinente, et n'y vit guère matière à suspicion. Milke se demanda ensuite à haute voix quand les choses allaient se calmer à Wabash, et si leurs postes étaient réellement menacés. Aaskhugh se détourna alors de Paula – apparemment, il avait fini de lui soutirer un maximum de détails concernant sa biographie, comme il savait si bien le faire – pour réagir à la question posée par Milke. Il annonça que selon ce qu'il savait à ce sujet, si de nouvelles inscriptions n'étaient pas rapidement enregistrées, Ed Woeps ne tarderait pas à être licencié.

« *Quoi* ? fit Cook. Qui vous a dit ça ?

Aaskhugh sourit.

– J'ai mes sources. »

Cook se fit la réflexion que Wach ne pouvait pas avoir divulgué ça, car il pratiquait la rétention d'informations tout autant que la rétention de fonds. Qui donc pouvait détenir de tels renseignements ?

« Mary ? demanda-t-il. C'est Mary qui vous l'a dit ?

– Ce n'est pas du jeu, Jay, répondit Aaskhugh en riant, savourant l'avantage qu'il avait.

– Mais pourquoi Ed ? demanda Milke juste avant que Cook ne pose la question.

– Je peux vous donner mon avis là-dessus, dit Aaskhugh. Maintenant qu'Arthur est mort, Daisy est le moins indispensable. Clyde n'est pas loin derrière, mais Daisy est en première ligne. Ses travaux sont les moins novateurs, il est le plus lent à conclure ses recherches, et le dernier à les publier. Sa motivation n'est pas optimale.

– Foutaises, fit Cook.

– Adam a raison, Jeremy, dit Milke. En ce qui concerne Ed par rapport à nous autres tout du moins. Certains de ses travaux ont été impressionnants, mais comparé à vous, par exemple, il n'est pas à la hauteur.

– Comparé à n'importe lequel d'entre nous, dit Aaskhugh. Il faut que vous l'admettiez, Jay, quand bien même il est votre ami. Demandons à Paula. Ce sera un test. » Il se tourna alors vers elle : « Vous qui êtes une psycholinguiste pleine d'avenir, Paula. De qui aviez-vous entendu parler à Wabash avant de venir ?

Elle le regarda calmement un certain temps.

– Je n'aime pas votre question, finit-elle par répondre.

– Pourquoi donc ? demanda Aaskhugh.

– Elle pousse à des comparaisons désobligeantes.

– Je sais, dit Aaskhugh en riant. C'est précisément le but. C'est même toute la beauté de telles questions. Vous apprendrez vite, Paula, que la première question que les intellectuels posent à propos d'une université ou d'un institut est : "Qui s'y trouve ?" Eh bien, lorsque cette question se pose au sujet de Wabash, je veux juste savoir ce qui se dit. J'aimerais en particulier connaître la réponse qu'on obtient dans un endroit aussi prestigieux que l'université de Los Angeles.

– Allons, Paula, la pressa Milke. Je suis moi aussi assez curieux à ce sujet.

Paula regarda Cook, qui ne pipa mot.

– Très bien, dit-elle, mais j'aurais pensé que des linguistes distingués tels que vous auraient des sujets de conversation plus matures. J'avais entendu parler de Jeremy, d'Emory et de Walter.

– Wach ? s'étonna Milke. Il n'a rien fait depuis des années.

– Je n'en sais rien. J'ai lu quelque chose qu'il avait fait il y a un certain temps sur l'écoute dichotique. » Elle marqua un silence. « C'est tout.

– Exactement ce que je pensais, dit Aaskhugh avec moins d'outrecuidance que quelques instants plus tôt. Mais vous avez certainement lu mes fameux travaux sur la syntaxe des interrogatifs.

– Malheureusement non, Adam.

– Ma foi, dit Aaskhugh, si c'est ainsi que les choses se passent à Los Angeles, il va falloir que je révise mon jugement sur cette université. C'est une certitude. »

Il fixa le sol et fit claquer sa langue. Paula adressa à Cook un clin d'œil, qui lui arracha un sourire malgré le poids qu'il avait sur le cœur. Aaskhugh devait faire erreur à propos de Woeps. Et pourtant, Aaskhugh se trompait rarement. Cook aperçut Wach qui traversait le séjour, seul, et sut que son départ aurait lieu dans la demi-heure suivant son arrivée ; aussi l'appela-t-il, lui proposant d'un geste de se joindre à eux. Il entendit Milke marmonner son mécontentement et se sentit obligé d'expliquer :

« Je veux vérifier l'histoire d'Adam, Emory.

Aaskhugh leva la tête et le dévisagea :

– C'est un peu gênant, Jay. Je ne pense pas que...

– Adam, c'est vous qui avez abordé le sujet. Certaines paroles ont des conséquences. Il va falloir que vous l'appreniez.

– Pardon ? », dit-il, quelque peu décontenancé.

Cook se tourna pour voir où en était Wach. Il avait réagi à l'invitation de Cook mais était retenu par l'une des puéricultrices. Cook les regarda parler. De quoi les gens pouvaient-ils bien discuter avec cet homme, hormis du travail ? La jeune femme lui demandait-elle s'il avait remarqué, à la lecture des journaux, que les temps étaient durs pour les dictateurs ?

« Je me suis disputé avec Walter en toutes sortes d'occasions, dit Milke. Réunions, mariages, enterrements… J'espère que j'arriverai à me tenir ce soir.

– Nous sommes tous un peu à fleur de peau, n'est-ce pas ? dit Paula.

– À des enterrements ? interrogea Cook, s'adressant à Milke.

– Oui. Après l'enterrement d'Arthur, répondit Milke.

– Je me souviens vous avoir entendu dire ça, Emory, dit Aaskhugh.

– *Immédiatement* après ? demanda Cook. Sa question, sans rime ni raison pour quiconque ignorait que sa voiture y avait été volontairement endommagée, attira sur sa personne des regards circonspects.

– Oui, dit Milke. Un rare instant de fraternité nous a rapprochés, Walter et moi, et nous sommes retournés ensemble à nos voitures. Mais la conversation a ensuite repris son cours normal.

– À quel sujet vous êtes-vous disputés ? demanda Cook, posant délibérément une question sans importance.

– Qui sait ? Ceci ou cela. Sur le sens de la vie. Walter serait capable de se prendre la tête avec un panda catatonique. Mais pourquoi cela vous intéresse-t-il tant, Jeremy ?

– J'allais poser la même question, dit Aaskhugh.

– Lequel de vous deux est parti en premier, lui ou vous ? demanda Cook.

Milke réfléchit.

– Lui. Pourquoi ? »

Cook fit la moue. Il vit que Wach s'approchait d'eux et allait lui épargner d'avoir à inventer une explication. L'histoire de Milke semblait innocenter Wach dans l'affaire du cabossage de sa voiture, et menaçait par conséquent de l'innocenter aussi des autres crimes. Voilà qui ne plaisait pas du tout à Cook. Il espérait que Milke avait inventé ça pour se disculper lui-même. Mais pourquoi aurait-il inventé un alibi qui aurait aussi disculpé d'autres suspects ?

Wach tendit les deux mains en s'approchant du groupe, et Cook se demanda ce qu'il allait faire. De l'une, il gratifia bizarrement Cook d'une claque dans le dos, à la manière d'un homme ayant décidé de surmonter le dégoût physique que lui inspirait le contact humain. De l'autre, il tâcha de tapoter le bras de Paula, mais manqua plus ou moins sa cible.

« Alors, on parle boulot ? lança-t-il. C'est bien. Très bien. Je ne veux pas vous interrompre. Si ce n'est pour vous dire à nouveau, Paula, que c'est très sympathique de votre part de nous recevoir tous chez vous comme ça.

– Ne me remerciez pas, dit-elle. J'ai bien l'intention de m'amuser ce soir, comme tout le monde.

Cook tourna les yeux vers Milke, qui paraissait satisfait d'être le centre d'attention à ce moment-là. Il adressa même à Cook un regard lubrique.

– Adam nous disait à l'instant qu'il était question que Ed ne voie pas son contrat renouvelé, dit Cook. Est-ce vrai, Walter ?

Le regard de Wach passa de Cook à Aaskhugh, puis revint à Cook. Il finit par dire :

– J'en ai peur. Je lui en ai parlé hier, l'information peut donc désormais circuler. Je tenais à ce qu'il soit le premier informé, qu'il ait le temps de se retourner. C'est regrettable, mais de telles décisions s'imposent. Ce n'est pas facile pour moi, mais cela fait partie de mes prérogatives.

– Je pense toutefois que c'est autrement plus dur pour Ed, dit Cook.

– Inutile de me le rappeler, Jeremy, dit Wach froidement. En même temps, je suis bien placé pour savoir que si nous n'agissons pas rapidement, Wabash se retrouvera dans une véritable tourmente financière. À propos, Jeremy, je ne peux que supposer que votre conférence est prête.

– En effet, vous ne pouvez que le supposer, rétorqua Cook. Elle est prête.

– Demain de bon matin, dit Wach. Ils vous attendent à huit heures.

– Je sais.

– Je voulais juste m'en assurer.

– Quid des travaux d'Ed ? demanda Cook. Il est en plein dedans.

– Il dispose de toutes les données dont il a besoin. Il peut les emporter et les achever là où il ira.

– Si tant est qu'il décroche un poste qui lui en laisse le temps, dit Cook. Les postes de chercheurs ne courent pas les rues.

– Il pourrait enseigner, suggéra Aaskhugh. Ce serait certainement un bon enseignant.

– Enseigner. Doux Jésus, dit Milke. La mort !

– Il serait inconvenant que nous poursuivions plus avant cette discussion, dit Wach.

Il n'entra pas dans les détails, et un silence s'installa.

– Puis-je aller vous chercher un verre, Walter ? demanda Paula.

– Non, je ne…

– Vous ne… ?

– Non.

– Moi, en revanche, si, dit Milke. Et je ne vais pas m'arrêter en si bon chemin. Quelqu'un d'autre veut un verre ? »

Tout le monde répondit par l'affirmative, à l'exception de Wach. Cook donna à Milke sa bouteille de bière vide et réfléchit à la manière assez abrupte avec laquelle Wach avait mis un terme à la discussion sur Woeps. Il ressentit une certaine culpabilité, s'en voulant d'avoir agi à la manière d'un Aaskhugh, utilisant un ami comme banal sujet de conversation. Et cependant l'unique raison pour laquelle il avait abordé le sujet était de découvrir la vérité concernant Woeps. Il avait envie de revenir sur ce sujet, mais ne savait trop comment s'y prendre.

– Que pensez-vous des problèmes d'alcool d'Emory, Paula ? demanda Aaskhugh dès que Milke fut hors de portée.

– Que voulez-vous dire ?

– Sa consommation n'excède-t-elle pas la norme ?

– Je ne peux pas répondre à sa place. Vous feriez mieux de le lui demander.

Elle s'était exprimée calmement, comme si les questions d'Aaskhugh n'avaient strictement aucun intérêt. Ou bien, réalisa Cook dans une bouffée de joie, comme si le sujet ne l'intéressait pas outre mesure.

– Il boit probablement tous les jours, dit Aaskhugh à personne en particulier.

« – Considérez-vous cela comme excessif, Adam ? demanda Cook.

– Je n'en sais strictement rien, Jay.

– À votre façon de poser votre dernière question, on aurait cru que vous aviez un avis.

– Certainement pas. »

Cook décida de le laisser un moment tranquille et demanda à l'ensemble du groupe si Ed était là. Personne ne savait. Paula rapporta qu'il lui avait confié la veille au soir son intention de venir, mais Cook ne savait pas si c'était avant ou après que Wach lui avait annoncé la mauvaise nouvelle quant à son avenir. Il aurait pu le savoir en poussant plus encore l'interrogatoire de Paula et de Wach, mais cela ne valait pas le coup. Son regard fit le tour de la salle à manger, puis il jeta un œil par la porte dans la salle de séjour sans parvenir à localiser Ed. Il voulait le trouver, le prendre à part, lui remonter le moral, compatir, en tout cas faire le nécessaire pour soulager sa peine. Mais son ami n'avait pas encore prononcé la phrase – n'importe laquelle aurait fait l'affaire – qui lèverait l'interdiction imposée à Cook de lui adresser la parole.

Milke revint, cette fois-ci avec un plateau, et distribua les verres – un autre bourbon pour lui, une bière pour Cook, rien pour Wach, des Perriers citron vert pour Paula et Aaskhugh.

– Adam interrogeait Paula sur votre consommation d'alcool, Emory, dit Cook.

– Jay ! Pas du tout. Qu'essayez-vous de…

– Mais si, mais si, Adam, dit Cook.

– Mais Emory ici présent va penser que…

– Du calme, Adam, dit Milke. Je bois beaucoup et quotidiennement, Jeremy. Et vous ?

– À peu près pareil, je le crains. Essentiellement le soir.

– Moi, à toute heure de la journée, dit Milke.

– Cela ne nuit-il pas à votre travail ? demanda Cook.

– Je ne pense pas. Après tout, je suis un de ceux dont Paula avait entendu parler, n'est-ce pas ?

– Mais vous pourriez peut-être faire encore mieux si vous ne buviez pas.

– Ou moins bien. Peut-être que ça m'aide.

– Comment cela ? demanda Wach. L'alcool abîme le cerveau, le siège de la raison.

– Je sais, Walter, dit Milke. Mais ça me détend, et je mise sur le fait que seules seront endommagées les cellules dédiées à la connaissance de choses triviales, la date d'anniversaire de mes tantes, par exemple, ou les premiers amendements de notre Constitution, et ainsi de suite.

Cook rit et s'apprêta à lui adresser une parole amicale avant de se raviser.

– Bien sûr, j'essaye de ne pas boire quand je suis à Wabash. Cela serait contre-productif.

– J'espère bien, Emory, dit Wach dont les bajoues se mirent à trembler nerveusement d'une manière que Cook n'avait jamais observée auparavant ; ce qui le réjouit. Je ne voudrais pas que…

– Que des gens, disons de *la communauté*, me surprennent raide saoul et en train de sodomiser un tout-petit ? Je me doute bien, Walter, dit Milke. Inutile de rappeler constamment qui est le chef, nom d'une pipe.

– Je suis content que vous ayez conscience des complications potentielles, dit Wach.

– Malheureusement, dit Cook, boire peut avoir des effets désastreux sur la mémoire, même si vous picolez en dehors des heures de travail.

Quelqu'un arriva par derrière et heurta doucement l'omoplate de Cook, cependant celui-ci ne se retourna pas.

– Comment cela, Jeremy ? demanda Milke.

– Eh bien, j'en ai fait personnellement l'expérience, poursuivit Cook. Et il est même scientifiquement démontré que ce que l'on oublie dépend non seulement de l'état dans lequel on était lorsqu'on en a fait l'acquisition pour la première fois, mais aussi de l'état dans lequel on est lorsqu'on essaye de s'en souvenir. Les faits acquis dans un état de sobriété reviennent bien sûr plus facilement à l'esprit lorsque l'on n'a pas bu. Le souvenir des mêmes faits a plus de mal à remonter à la surface quand le sujet est en état d'ébriété. Inversement, tout ce qui est mémorisé sous l'emprise de l'alcool reste bien souvent inaccessible quand le sujet est sobre. Rien de tout cela n'est très surprenant, en réalité. En revanche, ceci l'est un peu plus : toute connaissance acquise en état d'ivresse reviendra plus aisément en mémoire si l'on se retrouve dans le même état. Par exemple, vous prenez dix personnes, vous les faites boire en laboratoire en leur faisant apprendre tout un tas de mots inventés ; le lendemain, vous divisez le groupe en deux, une moitié se saoule à nouveau ; pas l'autre. Eh bien, le groupe des individus ayant bu aura de meilleurs résultats au test de re-mémorisation des termes inventés de la veille, par rapport au groupe n'ayant pas bu.

– Vraiment ? fit Paula.

– Les gens débitent toujours les mêmes conneries en soirée. »

Cook se retourna et vit que la personne qui venait de prononcer ces mots n'était autre qu'Ed Woeps, qui se tenait à ses côtés, légèrement en retrait. Pendant qu'il parlait, Cook avait bien remarqué que les yeux de Paula se fixaient de temps à autre sur un point derrière lui. Woeps était passablement ivre. Cook se demanda pourquoi Ed avait dit cela. C'était la première fois que Cook exposait cette idée. Il espéra que Woeps n'était pas ivre au point de se ridiculiser.

« Que voulez-vous dire, Ed ? demanda Paula.

– Les gens répètent toujours inlassablement les mêmes choses… quand ils boivent… parce qu'ils se souviennent… uniquement des choses… qu'ils ont déjà dites… auparavant, quand ils avaient bu… Selon leur état… » Il se tourna pour contempler Cook, pencha la tête en arrière et haussa les sourcils très haut. « Est-ce que ça se tient… Jeremy ?

Cook poussa un soupir de soulagement.

– Assurément, Ed. Je pense que tu as joliment replacé une observation pertinente dans le cadre d'une explication d'ordre plus général.

– C'est mon boulot », dit Woeps.

Cook vit Aaskhugh glisser quelque chose à quelqu'un d'autre, et la conversation qui s'ensuivit fut assez forte pour couvrir ce qu'il voulait dire à Woeps, aussi le lui dit-il en l'attrapant par le haut du bras.

« Et j'espère qu'il continuera d'en être ainsi, Ed. »

Woeps hocha lentement la tête à plusieurs reprises, mais regarda dans le vague devant lui, et Cook ne fut pas tout à fait certain que son message avait été reçu.

Milke demanda à nouveau si certains voulaient qu'il leur rapporte à boire. Cette fois-ci, Cook demanda un bourbon « on the rocks », ce qui fit dire à Milke : « Ah, ah ! on passe à la vitesse supérieure. » Il revint avec un plateau sur lequel se trouvaient une bouteille pleine, un seau à glace et deux verres ; il le posa sur la table de la salle à manger et servit deux bourbons, un pour

lui et un pour Cook. Wach observa froidement la cérémonie – ce fut du moins l'impression de Cook – et prit
finalement la parole :

« Je suppose qu'il ne vous est pas venu à l'esprit
que le fait que vous buviez tend à vous compromettre
dans la mort d'Arthur.

– Comment cela ? demanda Milke.

– Vous vous rappellerez, car j'espère que vous
n'êtes pas encore trop ivre pour cela, le vomi sur le sol
du bureau de Jeremy. Du whisky, si je me souviens
bien ?

– Oui, dit Aaskhugh avec enthousiasme. Du bourbon. Auquel je ne touche jamais.

– N'importe quoi, dit Milke.

– N'importe quoi, fit Cook à son tour. Si c'était
moi, je n'irais pas clamer sur la place publique que je
bois du bourbon.

– Je suis d'accord, fit Milke.

– Et *vous*, Ed, qu'avez-vous bu ? demanda Aaskhugh.

Woeps mit un certain temps à réagir. Il se fendit
d'un sourire rêveur, puis tangua en avant vers Aaskhugh et répondit d'une voix inarticulée :

– Votre sang.

– Quoi ? fit Aaskhugh.

– Ed, c'est un peu idiot, dit Cook en riant.

Woeps se mit à rire lui aussi. Aaskhugh les regarda
nerveusement.

– Pour rester dans cette perspective, dit Milke, on
pourrait faire valoir, et pour le coup, *je* fais valoir, que
dans la mesure où vous, Walter, possédez le passe
qui ouvre tous les bureaux, il n'y a guère que vous qui
auriez pu entrer dans le bureau de Jeremy cette semaine
pour y faire ce qui y a été fait.

234

– C'est absurde, fit Wach, serrant ses fines lèvres en un sourire ravi, comme si Milke venait de commettre une grossière erreur. Premièrement, il est de notoriété publique que Jeremy avait laissé sa porte ouverte, ou bien l'aviez-vous oublié ? » Il fixa le verre que Milke tenait dans sa main. « N'importe lequel d'entre nous aurait pu y entrer. Deuxièmement, je n'ai pas de passe. C'est Mary qui a le seul et unique exemplaire. Elle le garde dans un tiroir verrouillé, dont elle seule possède la clé, cependant elle ne dispose pas de celle qui ouvre son bureau. Il faut donc que l'un d'entre nous soit présent pour qu'elle puisse y accéder. Si bien que personne, pas même moi, n'a le contrôle exclusif du passe. Le système de sécurité est sans faille.

– J'ignorais que c'était chiadé à ce point, fit Milke avec sarcasme. Vous avez peut-être raison pour ce qui est des clés, mais il doit forcément y avoir une preuve incriminante contre vous. Forcément, puisque vous êtes une crapule.

Milke rit après avoir dit cela, et quelqu'un n'ayant pas entendu la conversation aurait pu penser qu'il venait de raconter une blague.

– Je crains que non, Emory, rétorqua Wach. En revanche, que le crime, et, en particulier, que le corps placé dans le bureau de Jeremy jette le discrédit sur l'institut, voilà qui me blanchit. Car vous connaissez tous mon souci constant de notre réputation dans la région.

– Ouais. J'ai entendu cette rengaine, persifla Milke.

– Dites, vous m'avez l'air d'avoir bien préparé votre plaidoirie, n'est-ce pas, Walter ? dit Cook.

– J'estime qu'il faut toujours être bien préparé, appuya Wach d'un ton solennel et pesant.

235

Cook imagina soudain combien il devait être horrible d'être le fils ou la fille de Wach. Les enfants de Wach, s'il en avait eu, auraient certainement préféré revenir au néant.

– Ce que je voulais suggérer, poursuivit Cook, c'est que seul un homme coupable aurait si bien préparé sa défense. »

Wach demeura silencieux. Cook ignorait s'il mettait en application la RÈGLE DE WACH Nº4 (face au danger, l'homme sage se tait), ou si c'eût juste été faire trop honneur à une telle question que d'y répondre, selon une autre règle de Wach, dont il avait oublié le numéro. Préférant boire et oublier plutôt que s'abstenir et se souvenir, Cook retourna au bar se servir un whisky sans proposer de rapporter un verre à quiconque. Il sentit que désormais c'était chacun pour sa peau. Quand il reprit sa place dans le cercle, il nota que Paula avait disparu. Il la repéra au pied de l'escalier, dans le séjour, en train de gravir les marches.

Milke dut noter que Cook la regardait, car il lui donna un petit coup de coude et dit : « C'est quelque chose, non ? »

Cook fit une grimace. Ils auraient été dans un film de gangsters, Milke et lui en train de discuter de leur – comment disait-on ? de leur *poule* ? –, peut-être aurait-il répondu quelque chose à cette saillie.

« Si jeune. Un corps si ferme, hein ? », ajouta Milke avec lourdeur.

Il épargna à Cook l'angoisse d'avoir à trouver une réponse, car il se tourna soudain vers Wach en s'écriant : « Qu'est-ce que vous venez de dire ? »

Wach était en train de s'adresser à Aaskhugh et Woeps. Il se tourna vers Milke et cambra le dos :

236

« Que vous êtes le premier suspect sur ma liste, Emory.

– Tiens donc ? Eh bien, nous sommes à égalité alors. Ce n'est pas une attaque personnelle, bien sûr. Ou plutôt, si, c'en est une.

– Écoutez, maintenant… commença Wach en redressant les épaules.

– Qui est le premier sur votre liste, Jay ? demanda Aaskhugh.

Cook regarda Milke et Wach se calmer tandis qu'il réfléchissait à la question d'Aaskhugh. Il donna une réponse honnête.

– Personne en particulier. Tout le monde est sur le même plan, à l'exception d'Ed. Lui vient en dernier. Il ne figure même pas sur ma liste.

Il se retourna pour lui faire face. Woeps resta campé sur ses pieds, regardant droit devant lui, comme s'il n'avait rien entendu. Cook fut soulagé de voir qu'il n'était pas en train de boire.

– Bizarre que vous disiez cela, dit Aaskhugh. Vu qu'il figure en première position sur ma liste.

– C'est ridicule, dit Cook.

– La mort d'Arthur a été accidentelle, non ? fit Aaskhugh. Pour moi, c'est une preuve suffisante.

Aaskhugh, qui ne disait du mal des gens qu'en leur absence, devait à présent considérer que Woeps n'était en tout état de cause plus vraiment présent. Cook regarda Woeps. Il se tenait droit, impassible.

– Peut-être bien que oui. Peut-être bien que non. Mais la mort de Philpot n'a pas été accidentelle, Adam, dit Cook en se tournant vers Aaskhugh. Elle a été préméditée, délibérée et cruelle. Ce qui ne correspond pas du tout à Ed. À l'heure qu'il est, il n'est pas en état de se disculper, alors je vais le faire à sa place. Vous jugez bien mal les gens.

– Je suis content que vous évoquiez Philpot, dit Milke avant qu'Aaskhugh puisse répondre. Je ne peux m'empêcher de me demander s'il y a parmi nous quelqu'un d'assez fort pour étrangler un homme.

– Oh, je vous ai vu saisir à mains nues un énorme climatiseur comme s'il s'agissait d'un fagot de petit-bois, lui rétorqua Aaskhugh. Pareil pour Jeremy. Il m'a aidé à déménager une fois. Vous vous souvenez, Jay ? Ce fut un bel après-midi. Je suis persuadé que vous seriez tous deux capables d'étrangler un homme. Moi, je doute d'en être capable.

– Vous avez une sacrée poigne, Adam, fit remarquer Milke. Si mes souvenirs sont bons.

Il s'avança d'un pas et tendit la main droite. Aaskhugh la saisit automatiquement.

– Oh, je vois », dit Milke, et Aaskhugh se redressa pour relever le défi.

Leurs mains se crispèrent, et Milke sourit.

« Oui, j'avais raison.

– Permettez que je vous serre la main, Walter », dit Cook.

Wach serra à lui en briser les os, et, par réflexe, Cook crispa les doigts à son tour. Au bout d'un moment, les deux hommes relâchèrent leur étreinte simultanément.

« Inutile de faire semblant d'être faible, dit Wach tout bas. La faiblesse n'a jamais été une qualité. »

Il regarda Milke puis Aaskhugh.

« Quelqu'un d'autre ? », demanda-t-il à la cantonade, tel un lutteur indien prêt à affronter tout volontaire.

Milke rit.

« Du calme, Walter. Détendez-vous, si c'est possible. Je veux savoir pourquoi je suis numéro un sur votre liste.

– En raison de ce qu'Arthur disait à votre sujet, Emory, répondit Wach en sortant un mouchoir de sa poche pour s'essuyer les mains. Ce qui a été avancé lors de notre dernière réunion ne laisse pas de doute à ce sujet, vous êtes clairement incriminé. Et puis il y a aussi votre caractère. Il faut un minimum de passion chez un homme pour en étrangler un autre.

– Je suis d'accord, dit Milke. Et c'est bien là, malheureusement, ce qui tend à vous innocenter. »

Il pivota sur ses talons et alla à la table se servir un autre verre. Wach le suivit du regard. Ses lèvres étaient pincées. Puis elles s'entrouvrirent et un flot de paroles en sortit.

« Ah oui. Vous êtes un *véritable* expert en la matière, n'est-ce pas, Emory ! Dans certains domaines en tout cas. Je suis bien au courant. C'est à moi qu'incombe la tâche d'engager des auxiliaires de puériculture pour remplacer celles dont vous abusez avant de les éconduire ! »

Il dut parler fort, presque crier, pour que Milke puisse l'entendre de là où il était. Si bien que ses paroles parurent encore plus furieuses qu'elles ne l'étaient. Ceci eut également pour effet d'attirer l'attention de tous les convives sur le groupe des cinq linguistes. Quelques spectateurs commencèrent à s'éloigner, cherchant une ambiance plus conviviale dans la cuisine ou le séjour.

« En voilà un beau mensonge pour accroître le mécontentement à Wabash ! », s'écria Milke d'où il se trouvait, près de la table.

Il finit à la hâte de remplir son verre et rejoignit le groupe.

« Si vous ne le saviez pas, apprenez que la nature humaine aspire à la liberté et à la sociabilité, or, ce sont deux choses que votre gestion déplorable décourage. Ce n'est qu'en douce que les gens rient et apprécient la bonne camaraderie, quand vous avez le dos tourné. Ce qui colle tout à fait à ce que j'ai dit sur la passion, en réalité. À mon sens, mieux vaut se rendre coupable d'un excès ici ou là, interrogez Jeremy à ce sujet, il sera de mon avis, plutôt que d'être complètement bloqué sur le plan affectif comme vous l'êtes.

– Espèce de poivrot, pauvre connard de barbu puant, espèce de…

Wach serrait les poings.

– Je vais me la farcir, cette commère », annonça Woeps sur un ton neutre, comme si quelque chose venait juste, comme par magie, de le désenvoûter.

Il s'avança alors vers Aaskhugh qui observait intensément Wach et Milke. Cook réagit trop lentement pour l'arrêter, et le coup de poing de Woeps atteignit Aaskhugh par surprise sur la tempe, juste à côté de l'œil gauche. Il tomba au sol, comme touché par une balle, et Woeps lui sauta dessus, ou plutôt s'affala sur lui. Cook essaya de les séparer, puis la confusion s'installa. Milke sembla dans un premier temps vouloir venir à son aide pour éloigner Woeps, jusqu'à ce que quelqu'un d'autre l'attrape par le cou, et Milke disparut soudain. Il revint ensuite, tomba sur le tas composé, dans l'ordre, d'Aaskhugh, Woeps et Cook. Ce dernier avait du mal à respirer. Il commença à suffoquer, mais brutalement la mêlée fut éparpillée aux quatre coins et quelqu'un l'immobilisa au sol, essayant de le frapper au visage. C'était Woeps. Cook s'efforça d'expliquer à Woeps ce que, dans sa colère éthylique, il était en train de faire, et lorsqu'il réalisa que Woeps savait parfaitement de quoi il retournait et s'apprêtait manifestement à continuer, il l'éjecta d'un brusque mouvement furieux. Il se redressa sur les genoux, haletant comme un chien. Il lança un regard flou à la ronde, à la recherche de Woeps.

La dernière chose dont il se souvint était que quelqu'un, en plein combat, lui avait dit à travers ses dents serrées : « Je ne vous aime pas, mais pas du tout, professeur. »

Chapitre douze

Cook se réveilla dans un sursaut et regarda au plafond. Il ne s'agissait pas de son plafond, aussi en conclut-il que ce devait être celui d'un autre. Cette modeste conclusion lui demanda tant de concentration qu'il aurait pu s'octroyer une douzaine d'heures de sommeil supplémentaires sans culpabiliser.

Au moins était-il au lit. Le lit de qui ? Il regarda à côté de lui, où il percevait une respiration délicate. À moins qu'un être surnaturel lui ait joué un sale tour, il était présentement dans le même lit que Paula. Elle était allongée sur le flanc droit et lui faisait face. Le drap était remonté jusqu'à son cou, mais un bout d'épaule dénudé suggérait toutes sortes de possibilités. Ces quelques centimètres carré de peau n'étaient pas loin d'annuler le lourd poids de misère et d'emmerdes des trois semaines écoulées. Mais comment était-il arrivé ici ? En quoi pouvait-il prétendre avoir droit à ces quelques centimètres carré, hormis le fait qu'il en était proche ? Au bout de quelques instants de réflexion, il rétablit le contact avec ses parties intimes et put aisément arriver à la conclusion qu'il était nu. Il étudia un moment le visage de Paula, puis tâcha de se projeter dans le passé… il repensa à la petite discussion qu'il avait eue avec elle, en particulier l'apogée électrique – qui devait avoir un rapport avec sa nudité et l'endroit où il se trouvait –, puis à Milke et une histoire de patate, à Aaskhugh et... oui, à la mauvaise nouvelle concernant Woeps. La confirmation de Wach. Woeps qui s'était joint à eux à un moment donné. Très saoul. Mais bon, lui aussi l'était. Des accusations avaient fusé, puis des coups de poings. Puis son réveil dans ce lit.

Il manquait quelque chose. La dernière chose qu'il se rappelait de la soirée était une image assez claire de lui-même, à quatre pattes, haletant tel un jeune chien surmené sous un soleil de plomb. Cette image provoqua une tension soudaine dans tout son corps, et Paula remua un peu, gémit, soupira et ouvrit enfin ses yeux bruns qu'elle braqua sur lui sans détour. L'espace d'un instant, il craignit qu'elle ne dise : « Sors de mon lit, espèce de misérable connard. » Au lieu de cela, elle sourit.

« Ça va ? demanda-t-elle.

– Bien. » *Hormis le mal de tête, le dos douloureux et la bouche sèche*, songea-t-il. « J'ai juste la tête un peu vide. »

Elle se redressa sur un coude. Sans qu'elle s'y cramponne, le drap continuait à couvrir sa poitrine.

« Mal de crâne, tu veux dire ?

– Ça aussi. Ce que je voulais dire c'est... Que s'est-il passé hier soir ?

Elle rit et s'étira.

– Hier soir, après ton brillant exposé sur la boisson et la mémoire ? Plutôt pertinent a posteriori, non ? Ou bien après la bagarre, l'arrivée de la police, ou encore après la discussion qui a suivi, et ton exposé final sur le crime et l'intonation ? Ou bien après... nous ?

Il retomba sur l'oreiller et fixa le plafond. C'était grave.

– Paula, je ne me souviens plus de rien après la bagarre.

– Tu plaisantes.

Le ton avec lequel elle avait dit cela indiqua à Cook l'ampleur de ce qu'il avait loupé.

– Non. Est-ce que vous… est-ce que, euh, tu pourrais…

Il se redressa sur un coude et la regarda.

– Résumer ?

– Oui.

Elle soupira.

– Eh bien, tu as perdu connaissance, je crois bien… Est-ce que tu t'en souviens ?

– Pas vraiment. Continue.

– Tu es immédiatement revenu à toi, et on a fini par calmer tout le monde. Mais un imbécile a appelé la police, qui a déboulé cinq minutes plus tard. Ils ne sont pas restés longtemps, sauf l'un d'entre eux qui a fouiné un peu partout.

– Un gros ? Autoritaire ? Qui parle avec une espèce de drôle…

– C'est lui. Quand il t'a vu il s'est écrié : "Ô Capitaine ! mon Capitaine !"

– M'a-t-il parlé ?

– Un peu. »

Elle s'interrompit et le regarda avec sollicitude.

« Jeremy, tu ne te rappelles strictement rien, hein ? Je suis inquiète. Ça, plus le fait que tu sois tombé dans les pommes…

– Ça va aller », l'interrompit-il, ravi de l'entendre dire qu'elle était inquiète. Vivait-on ça lorsqu'on était marié ? On se réveillait pour entendre une superbe jeune femme vous dire qu'elle s'en faisait pour vous ? Ce sentiment s'estompait-il au bout d'un certain temps ? Comment était-ce possible ? « C'est juste l'alcool. Et je pense que j'ai dû m'essouffler pendant la bagarre. Je ne suis pas coutumier de ce genre de choses.

– Bizarrement, tu as pourtant continué à boire *après*. »

Il grimaça et prononça en silence le vœu de ne plus jamais boire comme un trou.

« Et ensuite, après le départ de la police, vous vous êtes tous calmés, et la soirée s'est pour ainsi dire terminée. Mais tandis que tes amis s'apprêtaient à s'en aller, tu as fait un long discours, non seulement long mais, je suis navrée de te le dire, Jeremy, dans une large mesure incohérent, sur la façon dont tu allais t'y prendre pour résoudre ce crime, en étudiant les intonations. Tu les as avertis que tu les écoutais tous très attentivement, et ce depuis déjà un certain temps, et ensuite tu t'es mis à brailler certaines des phrases dont nous avions discuté ensemble, à titre d'exemple pour que chacun réfléchisse, mais tu n'as pas vraiment expliqué, et ils étaient tous un peu décontenancés. Après quoi tu t'es totalement contredit, en affirmant qu'il était impossible de faire attention aux intonations des gens, car la langue avait évolué vers la communication et se prêtait difficilement à une analyse faisant abstraction du sens, que l'on ne pouvait pas être sur les deux registres et que tu n'allais pas empêcher que les choses changent. » Elle marqua une pause. « Cela nous a paru aussi bien confus. Ton ami Ed s'est roulé par terre, tellement il rigolait. Ce qui est étrange, à la réflexion. Quand tu as eu fini, personne n'a su quoi

245

répondre et ça n'aurait de toute façon servi à rien. Et chacun est rentré chez soi.

– Me suis-je vraiment ridiculisé ?

– Un peu. Mais c'était mignon.

– Pourquoi as-tu dit que c'était étrange, pour Ed ?

– Eh bien… En raison de ce qu'il a dit dernièrement à ton sujet.

– Qu'a-t-il dit ?

– Oh, il a juste beaucoup râlé et rouspété, il s'est plaint que tu sois le type extra à qui tout réussissait, et que sa femme parlait tout le temps de toi. Je pense qu'il est jaloux, Jeremy, c'est tout.

– Jaloux ? De moi ? Il a deux enfants et une chouette femme, une vie tout à fait correcte… *ma vie* est un naufrage.

– Il ne voit certainement pas les choses de cet œil. Tu ferais bien de lui en toucher deux mots. Je ne veux pas parler à sa place.

– Quand l'as-tu entendu tenir de tels propos ?

– Oh… à deux reprises vendredi, et une autre fois plus tôt dans la semaine. Je suis un peu étonnée de te l'apprendre. »

Cook se tut. Il eut l'impression qu'on lui avait arraché une partie de son passé, une bonne partie pleine de souvenirs heureux, et qu'on avait tout jeté à la poubelle, sans rien laisser.

« En tout cas, c'est pour cela que son rire a paru si étrange. C'était un rire bon enfant. Il t'a serré la main après coup en disant : "Bien joué, Jeremy." Je pense que c'est une bonne chose qu'il t'ait vu, ma foi, te ridiculiser. »

Elle se tut.

« Et ensuite tout le monde est rentré.

– Tout le monde sauf moi ?

– C'est exact.

– Et Milke ?

– Emory ? Je l'ai renvoyé chez lui.

– A-t-il apprécié ?

– Non, il n'a pas apprécié.

– Est-ce qu'il a su que je restais ? Je veux dire, je suppose que je suis resté. Puisque je suis là.

– Je n'en sais rien. Cela n'a pas d'importance.

Elle parlait de Milke comme s'il n'était plus de ce monde.

– Je croyais que toi et lui...

La voix de Cook se fit traînante.

– Il s'est en effet passé quelque chose entre nous. Ce fut bref.

– Je ne demanderai pas les détails.

– C'est un adorable macho, et j'ai très vite renoncé à lui faire changer ses mauvaises habitudes.

– Je vois, dit Cook, se sentant instantanément dans la peau d'un adorable macho qui se demanderait comment dissimuler sa vraie nature. Et puisqu'on aborde la question, enfin je veux dire, puisqu'on parle de ça, est-ce que nous, euh...

– Nous avons commencé, mais n'avons pas terminé. » Elle sourit. « L'un de nous deux n'a pas été capable de, hum, faire ce qu'il ou elle avait à faire.

– Ma foi, j'espère qu'il ou elle fera mieux la prochaine fois. »

Il retomba sur l'oreiller en riant. C'était vraiment merveilleux, et elle aussi était merveilleuse. Il était là, encore au lit avec elle. Il pouvait sur-le-champ se faire pardonner ce qui s'était passé la veille. Il s'approcha d'elle. Il vit alors sa bouche s'entrouvrir légèrement pour aller à la rencontre de la sienne, lorsqu'il aperçut, par-dessus son épaule, une grande photo encadrée de

Stiph qui le dévisageait d'un air sombre. Il poussa un « *Aargh !* » apeuré, et montra du doigt la table de nuit.

« Qu'est-ce que c'est que ça ? demanda-t-il. Qu'est-ce que Stiph fabrique ici ?

Paula jeta un œil à la photo.

– C'est mon grand-père. Bon sang, tu m'as fait peur, Jeremy. Du calme ! C'est le lit de mes parents, et ma mère a une photo de son père sur la table de nuit. Je te jure, si c'est constamment aussi dingue d'être avec toi, je vais commencer à y réfléchir à deux fois…

– Je suis désolé, dit-il. C'est juste que… » Il la regarda. « Ton grand-père ? Pourquoi n'étais-je pas au courant ? C'est un secret ?

– Wach avait peur que ça ne fasse pas sérieux. Il a dit que si le personnel l'apprenait, il serait accusé de favoritisme, ou quelque chose comme ça. En m'attribuant le poste, il m'a fait promettre de ne le dire à personne. Bien sûr, ça a été encore plus difficile quand il s'est fait tuer, mais je m'y suis tenue. Le plus dur a été d'entendre les gens spéculer autant au sujet de sa mort. Comme hier soir. Et en plus, c'est Walter lui-même qui a abordé le sujet devant moi, le seul qui savait que j'étais sa petite fille.

– Oui. C'est un vrai salaud. Je suis désolé, Paula. Désolé pour Arthur.

– Ne dis pas à Walter que tu sais.

– Je ne dirai rien. Est-ce que… étiez-vous proches ?

– Non, pas vraiment. Et mes parents non plus. Ils ne sont même pas revenus d'Europe pour assister à l'enter-rement.

Cook fit la moue.

– Il fallait vraiment qu'ils soient brouillés…

– Comme je l'ai dit, ils n'étaient pas proches. Et puis mes parents détestaient sa femme. Il l'avait épousée en secondes noces il y a une dizaine d'années. Elle et mon grand-père étaient invivables à maints égards. Ils nous rendaient fous.

– Comment ça ?

Elle soupira.

– Il fallait toujours qu'ils mettent leur grain de sel partout. Quand il y avait de l'eau dans le gaz entre les gens, il fallait qu'ils s'en mêlent. C'est pour ça qu'ils sont revenus ici, où habitaient mes parents. Mon grand-père a été ravi d'accepter ce poste à Wabash, uniquement pour être près de sa fille et de son gendre, qui ne l'appréciaient pas particulièrement. Il était obsédé par les relations entre les gens. Un peu le contraire de mes parents qui se retrouvent embringués avec les gens les plus pourris à soutenir des causes politiques, mais qui supportent ces individus au nom de la cause. Mon grand-père n'aurait jamais pu faire ça. Son principal objectif était de devenir le meilleur ami du gars qui, mettons, venait ramasser ses poubelles.

– C'est pour ça que la veuve d'Arthur était toute seule à l'enterrement ?

– Oui. Je n'avais pas envie de lui tenir compagnie. Je lui ai dit quelques mots plus tôt, et c'est tout ce que j'ai pu faire. L'enterrement est un bel exemple de l'obsession de mon grand-père. Tu te souviens qu'il y a eu une sonnerie aux morts ?

– Oui.

Personne ne s'en souviendra mieux que moi, songea-t-il.

– Grand-père n'a pas fait son service militaire. Jamais. Mais il a voulu que soit jouée la sonnerie aux morts pour que les gens qui avaient fait l'armée pensent que lui aussi y avait été et l'apprécient davantage.

Cook observa de nouveau la photo au-dessus de l'épaule de Paula. Stiph le regardait fixement, le visage fermé, énigmatique.

– Si toi et tes parents éprouviez ces sentiments pour lui, pourquoi cette photo est-elle ici ?

– D'habitude, je dors dans l'autre pièce, mon ancienne chambre, et c'est là que se trouvait la photo quand je suis revenue ici, cet été, mais je ne la voulais pas à côté de mon lit, alors je l'ai mise dans la chambre de mes parents en arrivant.

– Mais alors pourquoi sommes-nous ici, et non pas là-bas ?

– Parce que tu as vomi dans mon lit hier soir.

Cook gémit.

– On devrait peut-être arrêter de discuter. Quelle autre abomination vais-je découvrir ?

– Je crois qu'on en a fait le tour.

L'estomac de Cook gronda, et il décida de se mettre sur son séant. Il cala son oreiller sur la tête de lit et s'appuya dessus. Ce faisant, il eut le temps de réfléchir au lien de parenté qui existait entre Paula et Stiph. Une idée lui vint à l'esprit, il se demanda un instant s'il était judicieux de l'évoquer et se jeta finalement à l'eau.

– Emory et moi sommes tous deux suspectés de l'avoir tué, Paula. Et pourtant tu es en bons termes avec nous.

– Ce n'est pas un problème. Je sais qu'aucun de vous deux ne l'a assassiné.

– Comment ça ?

– Vu les hommes que vous êtes. Vous êtes des hommes bons.

– Nous deux ? Lui aussi ?

– Bien sûr. Vous vous ressemblez sur de nombreux points. Vos opinions sur les gens. L'enthousiasme pour votre travail. Votre manière de parler aux enfants, vous êtes très semblables dans votre souci des enfants, dans le respect que vous avez pour eux.

– Emory et moi ne sommes pas amis.

– Il m'a dit que si. Il t'adore, Jeremy. »

Cook se redressa un peu plus. Il se dit que son organisme ne pourrait pas supporter une surprise supplémentaire ce matin. Était-elle prête à passer la journée à le regarder souiller ses draps et à fuir l'inondation ?

« Bien sûr qu'il y a des différences, poursuivit-elle. Elles sont liées à ce dont je te parlais hier soir pendant qu'Emory allait nous chercher à boire. Si ce n'est que, très certainement, tu ne t'en souviens pas.

– Si, ça je m'en souviens.

– Ce que je m'apprêtais alors à te dire, c'est que de passer par un chemin détourné était à mon sens inutile. En plus d'être déroutant. Tu n'avais vraiment rien à craindre d'une approche plus directe, quelque chose de l'ordre du "Déjeunons ensemble un de ces jours". J'aurais vraiment apprécié, comme la plupart des femmes. Mais au lieu de cela, tu m'as sorti ton "John pense que je suis un ivrogne" et l'histoire de qui invite qui pour se fâcher ou pas, ce qui était un piètre prétexte pour m'adresser la parole, comme pour dire : "Je suis désolé de te faire perdre ton temps, alors je vais essayer de m'arranger pour que tu puisses en tirer quelque chose." Tu sais, ce manque de confiance en soi n'est pas une qualité. C'est tendre le bâton pour se faire battre. Chez moi cela induit d'autres choses, comme le désir de prendre la fuite ou une irrépressible envie de mettre fin à ces futilités pour qu'on puisse passer à autre chose. C'est pour ça que j'ai dit ce que j'ai dit

251

hier soir. Ton manque de confiance en toi me semble incompréhensible. Et c'est là où toi et Emory êtes différents. Qu'on divise son assurance en deux et qu'on t'en donne la moitié : ce sera une bonne chose pour lui comme pour toi. »

Elle s'interrompit, mais un bref instant seulement.

« Je suppose qu'une partie de ce dont je parle entre dans la catégorie de la drague. Lorsqu'on sombre dans l'exagération, c'est risible, mais dans le cours normal des choses, cela a tout à fait sa place. Toi, Jeremy, tu n'as pas l'âme d'un séducteur. »

Elle le dévisagea d'un air compatissant.

« Tu devrais essayer. Tu serais un sacré charmeur. »

L'espace d'un instant il crut qu'elle allait l'embrasser. Elle lui demanda : « As-tu toujours aussi mauvaise haleine ? »

Il prit une inspiration et s'éloigna d'elle.

« Un jour, Paula, je t'enregistrerai, je *vous* enregistrerai tous les deux, toi et ce foutu lieutenant Leaf, et je ferai une étude en vue de publier une monographie intitulée *La Conversation comme souffrance.* Je suppose que j'ai mauvaise haleine parce que c'est le matin et que j'ai bu hier soir. Fiche-moi la paix.

– Désolée. Prenons un petit-déjeuner, alors. Je vais te préparer des œufs et des pancakes.

– *Putaiiiiin !* », s'écria-t-il, tâtonnant pour voir l'heure au réveil disposé sur la table de nuit, renversant du même coup la photo de Stiph, qui tomba par terre. Il était huit heures moins vingt. La salle des fêtes, où devait se tenir le petit-déjeuner annuel du Rotary « Prière et Pancakes » n'était pas loin de là où il habitait, et s'il fonçait comme un dératé, il pourrait passer chez lui, se changer, récupérer les notes qu'il avait préparées – non, ses notes étaient dans la poche de son

manteau, accroché dans la penderie de l'entrée, en bas
– mais il fallait, de toute façon, qu'il repasse chez lui
pour se changer et, avec un peu de chance, il arriverait
à l'heure au petit-déjeuner, ou presque, ou avec plus
ou moins une heure de retard. Il sauta du lit et se mit à
fouiller frénétiquement la chambre.

« Où sont mes habits ? Où sont mes habits ? cria-
t-il.

– Dans l'autre chambre. Au fond du couloir à droite.
Que se passe-t-il ? Qu'est-ce qui ne va pas ? »

Il sortit de la pièce à toute vitesse, et se sentit nu et
idiot en lançant les mots : « Prière et pancake ! » par-
dessus son épaule. Il retrouva ses vêtements dissé-
minés dans la chambre à coucher de Paula, comme
s'ils l'avaient été par un programme informatique aléa-
toire. Paula entra dans la chambre, nue, et bâilla, tandis
qu'il boutonnait sa chemise.

« Bon sang, fit-il en la regardant. Reste ici aujour-
d'hui... C'est dimanche, et tu n'as pas à sortir, non ?
J'achèterai le journal quand ce truc sera terminé, je
serai de retour d'ici deux heures, nous ferons du café
et passerons toute la journée ensemble, non ?

– Très bien, dit-elle dans un nouveau bâillement,
tout en hochant la tête. Quel truc ?

– Je t'expliquerai plus tard. C'est trop absurde. Je ne
t'embrasse pas. Ce serait insoutenable. Désolé pour le
lit, pour mon haleine, ma timidité, mon ivresse et pour
la bagarre... »

Il continua sa liste en se précipitant dans le couloir,
puis en dévalant les escaliers jusqu'à la penderie, où
il attrapa son manteau, puis sortit par la porte d'entrée
et s'engouffra précipitamment dans sa voiture.

« C'est bien plaisant de vous avoir parmi nous, mon gars. »

Cook serra la main du vieillard ratatiné de l'autre côté d'une longue table recouverte d'une nappe en papier blanc – de celui qu'on utilise habituellement pour emballer la viande dans les boucheries –, fixée à l'aide de punaises. L'une d'entre elles s'était détachée, et Cook la tripota machinalement, la faisant rouler dans un sens puis dans l'autre sur l'étendue plate et vide. Il écouta les hommes autour de lui, répondit à leurs questions amicales sur Wabash et lui-même, sans cesser de se demander ce qu'il foutait là. De la cuisine située tout au bout de la construction, qui ressemblait à un entrepôt, émanaient des odeurs de pancakes, d'œufs et de bacon qui donnèrent la nausée à Cook. Par intermittence, celle-ci remontait doucement du fond de son ventre jusque dans sa gorge, puis refluait. Il eut l'impression que son estomac faisait le yo-yo le long de son œsophage, depuis un point ancré quelque part au fond de sa bouche. Tout autour de lui tonnaient de chaleureuses voix masculines. Il aurait souhaité trois choses : de l'aspirine, de la solitude et de la fraîcheur – comme des draps frais, ou un ventilateur électrique soufflant doucement sur son visage. Il sentit que son agilité intellectuelle était au plus bas et se demanda où était le café. C'était son seul espoir de reprendre un tout petit peu du poil de la bête.

Son malheur était en partie lié au nombre de gens présents. Il s'était attendu à un petit auditoire de vingt ou trente individus un peu égarés. Sauf qu'il y avait déjà plus de deux cents personnes assises, et d'autres continuaient d'affluer, comme si la population entière de Kinsey tentait d'échapper à un incident radioactif qui aurait eu lieu dans les environs. Une audience aussi importante exigeait quelque chose d'un peu plus théâtral que ses modestes observations onomastiques. Ils n'étaient assurément pas venus en masse uniquement pour s'instruire.

« Eh bien voilà », fit l'homme sur sa droite, à qui avait été confiée la mission de s'occuper de Cook. Il s'appelait Hawkins et il vendait du matériel agricole. Il montra le programme à Cook. « Je crains qu'on ne vous ait gardé pour la toute fin, Monsieur Cook. Juste avant la bénédiction. » Il le tendit à Cook qui vit que l'intitulé de sa conférence avait été une nouvelle fois modifié : « De Putnamville à Witch's Pudding : Noms de lieux : un panorama humoristique du sud du comté de Kinsey, Indiana. » Wach avait-il complètement perdu la boule ? À quoi rimait cette perverse inflation de l'intitulé, inversement proportionnelle à la désolante étroitesse du sujet abordé ? Plus important, pour le moment tout du moins, qu'est-ce que Cook allait pouvoir en faire ? « Witch's Pudding » ? « Humoristique » ? Les seuls éléments dont il disposait et qui s'approchaient un tant soit peu du titre étaient ses anecdotes sur *Hoosier*, certes un peu éculées, mais qui auraient sans doute l'heur de plaire à ce genre de public. Il allait devoir s'émanciper de ce titre pour justifier le reste de son exposé. Quelque chose du genre : « On ne peut correctement traiter de *bla bla bla* sans considérer également *bla bla bla*. » Piètre formule, certes, mais il n'avait pas d'autre solution.

Il parcourut des yeux le reste du programme. Le clou du spectacle serait sans aucun doute le discours de la star de basket Bud Bumbman, ancien diplômé d'une université des environs connue pour les excellents résultats de son équipe. Bumbman, personnalité incontournable, responsable de ce qu'on appelait dans la région « l'hystérie *hoosier* », était probablement l'homme le plus influent de tout l'État. Cook devait passer juste après lui. D'ailleurs, il préférait encore l'abracadabrant intitulé de son intervention à celui de Bumbman (« Jésus-Christ au fond du panier »), même s'il savait avec la certitude du kamikaze s'envoyant son ultime petit-déjeuner que la chute faisait partie de son destin le plus imminent.

« Je me demandais s'il serait possible d'avoir un café », dit Cook à Hawkins en lui rendant le programme. Hawkins bondit et disparut dans la seconde, et Cook se dit que les Rotariens prenaient leurs missions très au sérieux. Cependant quand il le vit se renseigner à la porte de la cuisine, puis serrer des pognes, rigoler avec quelques amis et sans doute négocier au passage la vente de quelques tracteurs, il réalisa que Hawkins avait juste saisi l'occasion de prendre un peu le large. Cook compatit. Les deux hommes avaient discuté pendant presque un quart d'heure, passant en revue tous les sujets possiblement abordables par deux individus ne se connaissant ni d'Eve ni d'Adam et n'ayant absolument pas les mêmes centres d'intérêt ; au bout de quelques minutes de parlote à peine, Cook avait senti son cerveau se ratatiner. Apprendre que le sentiment était réciproque ne rendit pas la salutaire solitude du linguiste moins déprimante. Sans les souvenirs de la chambre de Paula et la perspective d'y retourner, il aurait été le *Hoosier* le plus triste du monde. Il regarda sur sa gauche en quête d'un hypothétique compagnon et ne vit qu'un petit homme sévère à la mine renfrognée qui regardait droit devant lui. Sans doute un type important de la section locale du Ku Klux Klan.

« Un peu de jus d'orange ? demanda le vieil homme de l'autre côté de la table, celui qui lui avait donné du "Mon gars".

– Non merci.

– C'est du *très bon* jus d'orange, insista-t-il.

Il tendait un grand Thermos, sa réserve personnelle, manifestement.

– Non. Mais merci beaucoup.

– Ça pourrait vous aider à vous détendre.

– Non. Je vais juste prendre du café.

– D'la pisse d'âne.

– Je vous demande pardon ?

– C'est pas du café qu'on vous sert ici, c'est d'la pisse d'âne.

Cook sourit.

– Merci du tuyau.

– Du *vraiment* bon jus d'orange, répéta-t-il, en y ajoutant un sourire commercial.

– Non merci.

– C'est vous qui voyez, mon gars.

– Je suis fasciné par l'étymologie.

Cette dernière phrase avait été prononcée sans préambule par l'homme à la mine renfrognée sur sa gauche. Cook en conclut qu'elle ne pouvait que lui être destinée. Il répondit :

– Vraiment ?

– Je trouve que c'est une chose formidable.

– Bien », fit Cook, perturbé.

L'homme n'avait pas bronché en disant ça. En fait, il avait à peine ouvert la bouche pour parler. Son visage semblait figé en une mine définitivement méchante et malheureuse, quelque peu en porte-à-faux avec ce qu'il venait d'annoncer. C'était comme s'il trouvait

257

l'étymologie formidable, mais seulement en tant qu'instrument de torture.

– J'ai appris l'autre jour que le terme *yoga* était de la même famille que *joug*, qu'il y a un rapport étymologique entre eux remontant à une ancienne langue indo-européenne. C'est un fait intéressant si l'on considère que l'un et l'autre traitent de l'union au sens basique.

– Oui. C'est intéressant, fit Cook sans trop se mouiller.

– Il est intéressant aussi de savoir que les gens ordinaires altèrent souvent des mots étrangers de manière à les rendre plus locaux. *Woodchuck*, par exemple, qui désigne la marmotte d'Amérique, vient du Cree *otcheck*, mais *otcheck* ne sonne pas très anglais, donc au fil du temps, il s'est transformé en *woodchuck*, qui ressemble à un bon vieux mot bien de chez nous et qui semble plus adapté au palais américain. Le même phénomène s'est appliqué à l'algonquin *musquash*, qui s'est transformé en *muskrat*, le rat musqué, ainsi qu'au terme français *appentis*, qui signifie "attaché à, attenant à", on entend bien la proximité avec l'anglais *append*, qui signifie joindre, ou *appendix*, qui est devenu *penthouse*. La transformation a toujours pour effet de faire paraître le terme plus local : *house, rat, wood, musk*, même si, ironie du sort, le terme *musk* est sans doute d'origine sanskrite. Ce processus de transformation est appelé "étymologie populaire".

– C'est tout à fait juste, concéda Cook.

– Les gens commettent d'autres erreurs de ce type. Je pense au domaine des explications populaires quant à l'origine des mots. *Yankee* est un bon exemple. Les explications fantasques sont légion. Idem pour *okay*. On entend des histoires grotesques à propos de ces termes, et de bien d'autres.

– Oui. J'en ai entendu certaines.

– Ou tenez, prenez *Hoosier*. Il y a ceux qui veulent nous faire croire que ça vient de *who's there,* voire *whose ear*, avec des histoires stupides sur le contexte dans lequel de telles questions auraient été formulées, alors que le terme vient en réalité du dialecte du Cumberland, *hoozer* qui désigne "tout ce qui est inhabituellement grand". Comme la vérité est moins intéressante que certaines absurdités, ce sont ces dernières qui restent. Je ne supporte pas les absurdités, et je n'hésite pas à m'inscrire en faux haut et fort contre les absurdités à chaque fois qu'on m'en donne l'occasion.

– Je suis tout à fait de votre avis, dit Cook et il se tourna vers l'homme de l'autre côté de la table, qui avait suivi leur conversation comme s'il s'agissait d'un jeu télévisé dont il ne comprenait pas les règles. En fait, je vais en prendre un peu de votre jus d'orange, là.

– Avec plaisir. »

L'homme versa à Cook une quantité de jus cinq pour cent supérieure à la contenance maximale de la tasse. L'excès forma une petite flaque sur le papier de boucherie. Cook sirota la mixture, qui était assurément du *bon* jus d'orange, en ce sens qu'elle ne contenait qu'un quart de jus d'orange. L'homme de l'autre côté de la table lui sourit. Le type à l'air revêche sur sa gauche parut ne pas leur prêter attention, il regardait droit devant lui, s'interrogeant peut-être sur l'origine profonde des mots. En une minute, Cook vida sa tasse et la posa sur la table devant lui, à un endroit stratégique, juste à la bonne distance pour que son nouveau compagnon la remplisse si celui-ci le désirait, ce qui fut le cas. En portant de nouveau la tasse à ses lèvres, Cook pensa intérieurement à un mot : *magnifique*. La boisson était fraîche et *magnifique*, il se sentit devenir d'humeur *magnifique*, et son mal de tête était *magnifiquement* en train de disparaître, et l'étymologiste à ses côtés lui aussi était *magnifique*, de même que le lieutenant Leaf, qui s'approchait à présent de Cook et le saluait, lui ainsi que les hommes qui l'entouraient. Il fixa Cook et lui annonça qu'il souhaitait discuter un peu avec lui, une fois son « petit discours » terminé. Cook lui demanda le motif de sa présence – était-ce uniquement pour le voir ? Non, répondit Leaf. Il était là car il croyait au pouvoir de la prière. Cook trouva cela tout aussi *magnifique* et reposa sa tasse sur la table, et hop, derechef, elle fut remplie. Il dit qu'il espérait que Leaf apprécierait sa petite intervention. Leaf répondit que c'était extrêmement improbable. Il ajouta qu'il n'arrivait pas à comprendre ce que Cook faisait dans la vie. Il dit qu'il avait quatre enfants et qu'ils avaient appris à dire *chien* pour dire *chien*, parce qu'un chien était un chien, point barre. Cook trouva cela tout simplement *magnifique*. Soudain Leaf disparut et cela fut *magnifique* aussi. De même que les pancakes que Hawkins finit par déposer devant lui. Ils étaient *magnifiquement* merdiques avec les bords brûlés et la pâte *magnifiquement* crue au milieu.

Après une prière, une présentation, un discours, une nouvelle prière et une nouvelle présentation, Bud Bumbman monta sur le podium. Cook se rendit compte que son tour arriverait inexorablement, et l'indifférence qu'il ressentit à cette constatation fut *magnifique*. Son cerveau se vidait à vitesse grand V. Il sentit les mots et les idées l'abandonner, un par un, comme des convives quittant une soirée. Les mots… ce qui disparaissait en premier quand on avait bu. Mais heureusement, il avait ses notes. Il tâta l'intérieur de la poche de son manteau et sentit les fiches cartonnées. Oui, elles étaient bien là. Et l'ancien, avec son jus d'orange coupé à la gnôle, avait eu raison : il était bel et bien détendu. Comme le basketteur, songea-t-il, et son regard glissa doucement le long de la table jusqu'à la scène. Si paraître angélique et presque androgyne, et avoir l'air de faire un *coming-out* religieux tout en étant né de la dernière pluie – si ressembler à tout ça signifiait qu'on était détendu, alors Bumbman l'était pleinement aussi. Que venait-il de dire ? Que la Trinité c'était *quoi* ? Un panier à trois points ? Avait-il vraiment dit ça ?

À mesure que les mots et les idées s'échappaient par dizaines de sa tête, d'autres choses y entraient. Des images. Des fragments de phrases. Le visage d'Adam Aaskhugh flotta devant ses yeux, les lèvres en cul de poule pour prononcer un *que*, son trigramme locutoire préféré, puis Woeps apparut, il riait en disant « *oups !* pour un manque de bol, c'est un manque de bol », comme s'il parlait de quelqu'un d'autre, puis c'était au tour de Paula, elle ourlait ses lèvres, un peu comme Aaskhugh, si ce n'est que dans son cas c'était pour offrir un baiser, mais cela aussi demeurait non consommé, voilé par quelque chose que le dribbleur au visage poupin venait de dire sur scène, et Cook réalisa avec une inquiétude confinant à la panique que Bumbman en était à la conclusion de son discours d'une cruelle brièveté.

Pour lui, terminé le jus d'orange, décida-t-il. Il plongea la main dans sa poche pour récupérer ses fiches, embrassant le public du regard. Tous les yeux étaient rivés sur Bumbman. Tout le monde était ensorcelé. D'un mot lancé depuis l'autel, le jeune dieu aurait pu vider la salle en demandant à tout le monde d'aller se faire baptiser dans la Wabash. Et Cook passait juste après lui. De Putnam-truc à Witch machin-chouette ? Dieu et l'onomastique, voilà une combinaison parfaite. Mais pourquoi Leaf, assis à la table principale à côté de Bumbman, ne regardait-il pas l'orateur, contrairement aux autres disciples ? Pourquoi, en fait, fixait-il Cook ? Et pourquoi voulait-il voir Cook après le petit-déjeuner ?

Cook recula sa chaise, de manière à pouvoir poser ses fiches sur ses genoux et les feuilleter discrètement. Sur la première qu'il sortit, était tracé un grand T majuscule. Il ne se rappelait pas avoir écrit ça. Qu'avait-il donc pu vouloir dire ? Il retourna la carte. Le verso était vierge. Sur la deuxième figurait un grand R majuscule. Les sept suivantes formaient O-U-D-U-C-U-L, qui n'était pas un signifiant connu. Cela dit, lorsqu'on accolait à cet enchaînement les deux premières lettres, cela donnait ce que le linguiste amateur de tout à l'heure aurait appelé une bonne vieille expression bien de chez nous, qui résonnait tout particulièrement aux oreilles de Cook.

La question de savoir qui avait procédé à l'échange de fiches, et pourquoi, et quand, l'intéressait moins que celle de savoir ce qu'il allait bien pouvoir faire. De quoi se souvenait-il ? Que les écrivains en vieil anglais évitaient les propositions relatives en milieu de phrase. Oui, de cela il se souvenait, cela remontait à son doctorat, mais est-ce que cela ferait l'affaire en ce matin de juin, à la salle des fêtes du comté de Kinsey ? Que Polyphème était le fils de Poséidon. À quand cela remontait-il ? À ses toutes premières années de fac ? Que six fois neuf faisaient cinquante-quatre. Non, il ne fallait définitivement pas partir sur cette voie. Il força son esprit à revenir au présent tandis que Bumbman demandait s'il y avait des questions, et poussa un soupir de soulagement en voyant une main se dresser à la table d'à côté. De nouveau des visions de la soirée de la veille dansèrent devant ses yeux et le déconcentrèrent. Pas étonnant, se dit-il avec désarroi. Le principe du souvenir dépendant de l'état de sobriété dans lequel on était au moment de la mémorisation. Comme il avait été d'une sobriété proprement écœurante durant les diverses phases de préparation de cet exposé, désormais, il était incapable de se rappeler une seule consonne, voyelle ou semi-voyelle qui ne soit pas en rapport avec la soirée. Il n'arrivait plus à penser qu'à celle-ci – elle tournait en boucle dans son esprit.

Bumbman demanda s'il y avait d'autres questions, et juste au moment où il était évident qu'il n'y en avait plus, le linguiste à la mine sévère assis à sa gauche se leva d'un bond et discuta les principes fondamentaux de la foi chrétienne. Bumbman se fendit d'un sourire béat et entreprit de répondre à la question en se lançant dans une longue parabole à propos des vestiaires. Pour ce sursis, d'aussi courte durée qu'il se révélerait, Cook eut envie de jeter l'amoureux de l'étymologie à terre et de le couvrir de baisers, et cette pensée le fit soudain songer à Paula, dans son salon à la nuit tombée – non ! plutôt à l'étage, dans sa chambre à coucher, sur un tapis à même le sol – puis cette vision s'évapora pour laisser place à une autre où et il se vit à nouveau par terre, mais cette fois-ci dans la salle à manger, agglutiné à tout un tas de gens également affalés. Alors un fantôme s'éleva au-dessus de lui et prononça une phrase qui immédiatement lui en rappela une autre – une courte.

Une phrase dont il aurait dû se souvenir plus tôt, mais qui ne lui revint qu'à cet instant précis – et il s'en félicita.

Il fallait qu'il fonce à Wabash. Maintenant, plus rien d'autre ne comptait.

Il fit un tas de ses fiches, le T sur le dessus de la pile, qu'il tendit au Rotarien à la fois linguiste et athée sur sa gauche en disant : « C'est pour vous. »

Puis il se leva et se dirigea vers la porte. Il n'en avait rien à cirer d'ignorer tout des noms de Proute-nam à Pudding de Merde, et il se tamponnait le coquillard que Bumbman soit à présent en train de dire que « Jésus-Christ s'était donné à cent dix pour cent sur la croix ». Il s'en foutait royalement.

Chapitre treize

(*Bruits sourds.*)

« *M'boui.* » (*intonation descendante*)

(*Bruits de pas précipités ; coup de pied dans un jouet.*)

« Je suis désolé de t'avoir fait peur, Wally. Faisons une pause. »

(*Bruits de pas.*)

« *M'boui.* » (*intonation descendante*)

(*Bruit du magnétophone que l'on éteint.*)

(*Bruit du magnétophone que l'on allume.*)

« Bien, Wally. On reprend. »

(*Silence de quinze secondes ; bruits de pas ; silence de dix-huit secondes ; on frappe à la porte.*)

« Qui est là ? »

« Je sais qu'il y a quelqu'un à l'intérieur. Ouvrez ! »

« Nom de Dieu… »

(*Silence de douze secondes ; grognements ; bris de glace.*)

« Bon sang. Oh ! bon sang.. »

(*Bruits de pas précipités ; silence de cinquante-huit secondes ; rire aigu ; ouverture de porte ; fermeture à clé de la porte.*)

« *M'boui.* » (*intonation descendante*)

(Raclement ; Wally crie ; bruits de pas précipités ; silence d'une minute et sept secondes ; bruits de pas précipités.)

« Ça va, Wally. Tout va bien. »

(Paroles réconfortantes ; fin de la bande.)

Cook frappa du poing sur son bureau, d'un air décidé. Il saisit une poignée de ses cheveux et tira dessus – non pas sous le coup de l'ébriété, car il avait presque dessaoulé, mais pour exprimer à la fois son sentiment de triomphe et, en même temps, ses remords. Comment avait-il pu oublier l'importance de ce *m'boui* inexpliqué ? Comment avait-il pu oublier que le magnétophone était resté allumé durant tout cet étrange épisode ?

En écoutant à nouveau la bande, il avait effectué une retranscription sommaire et reconstitué les événements de ce lundi soir. Le bruit sourd de la montre géante avait fait peur à Wally qui avait prononcé un *m'boui* négatif. Il s'était précipité vers Cook, qui avait envoyé valser le jouet d'un coup de pied et avait présenté ses excuses au garçon, s'en voulant de lui avoir infligé une telle épreuve au nom de la science et de ses avancées. Ensuite, de toute évidence, Wally avait aperçu l'intrus entrer dans le bureau de Cook et lui avait lancé un *m'boui* négatif pendant que le linguiste s'agitait autour du magnétophone, dos à la porte. Cook se souvenait à présent s'être demandé ce qui avait déclenché ce *m'boui*, mais il avait ensuite oublié, ou plutôt son esprit avait décidé d'oublier, ne sachant que faire de cette donnée anormale. Après une brève pause et une petite promenade dans le couloir, ils avaient repris. Cook avait entendu un bruit dans son bureau, était allé jus-

266

qu'à sa porté, avait frappé et avait alors prononcé quelques phrases banales, sans intérêt. Le siège avait ensuite été jeté par la fenêtre, puis Cook s'était précipité – dans sa prévisible imbécillité – au rez-de-chaussée et était sorti du bâtiment, pour subir l'humiliation du rire aigu venu d'en haut. Le coupable avait alors quitté le bureau de Cook, verrouillé la porte derrière lui et reçu un autre *m'boui* négatif de la part de Wally, observateur acerbe et cohérent dans ses jugements. L'intrus, ou peut-être Wally, avait ensuite émis une sorte de sifflement. Puis l'assassin s'était enfui. Cook était remonté à l'étage pour calmer le garçon, et la bande avait continué à tourner pendant environ une minute avant de s'arrêter. Le magnétophone s'était automatiquement éteint, la bande était restée au même endroit, et personne n'y avait touché pendant presque une semaine. Plusieurs autres magnétophones étaient fixés au mur et si un ou plusieurs de ses collègues avait procédé à des enregistrements dans la salle de sport durant ces derniers jours, ils avaient simplement utilisé l'un de ceux-là.

Il se cala un peu plus encore au fond de son siège et se demanda si, dans les annales du crime, il était déjà arrivé qu'un bambin de seize mois identifie le coupable parmi plusieurs suspects alignés devant lui. Il ne restait plus à Cook qu'à chorégraphier une séance d'identification. Leaf allait peut-être pouvoir l'aider. Mais tout homme pensant qu'un chien est un chien, point barre, risquait d'émettre quelques réserves à l'idée qu'un *m'boui* pouvait signifier « il y a du mouvement, et j'aime / je n'aime pas ce qui en est la cause ». Cook serait plus inspiré d'organiser tout cela lui-même. Mais que faire de l'assassin une fois que Wally l'aurait identifié ?

Il s'en soucierait le moment venu.

Le téléphone sonna. Il hésita, se demanda pourquoi il hésitait, et décrocha.

« Jeremy, le lieutenant Leaf te cherche. Il dit que c'est urgent.

C'était Paula.

– Sais-tu où il est ? Et ce qu'il peut bien me vouloir ?

– Il est en route pour Wabash. Je ne sais pas pourquoi il veut te voir. Ils sont venus à trois voitures de police. On aurait dit une foutue descente de la Gestapo. Le dernier d'entre eux vient juste de partir. »

« *Sortez d'ici, mains en l'air.* »

C'était la voix du lieutenant Leaf, amplifiée par un mégaphone.

« Excuse-moi juste une seconde, Paula. »

Cook prononça ces paroles de la voix la plus calme possible. Il s'approcha de la fenêtre et regarda à l'extérieur. Une demi-douzaine de fusils, ou bazookas, ou il ne savait trop quoi, étaient nerveusement braqués sur lui, sa tête en ligne de mire. À l'autre extrémité de ces canons, des flics étaient accroupis, attendant les ordres de Leaf, lourdement appuyé contre sa voiture, s'en servant de protection contre toute gomme ou tout stylobille que Cook pourrait être tenté de lui lancer, et il beuglait dans son porte-voix.

« *Le bâtiment est cerné*, poursuivit-il sans surprise. *Sortez.* »

Cook recula et tâcha de ne pas paniquer. Il comprenait ce que Leaf faisait car il voulait faire exactement la même chose. De plus, sa foi en la justice et en l'Amérique, quoique présentement ébranlée, demeurait assez forte pour lui donner confiance. Il reprit le téléphone et dit à Paula que tout allait bien. Il la rejoindrait plus tard.

Elle commença à protester et lui demanda des explications, mais il répéta simplement que tout allait bien et raccrocha. Il ferma son bureau à clé et descendit par l'ascenseur. Il sortit avec assurance par la porte principale et fit des signes de la main. Les policiers avaient toujours les yeux tournés vers le haut, leurs armes braquées sur le sixième étage.

« *Toute résistance est inutile* », débita Leaf d'une voix monotone.

« Salut, lieutenant, lança Cook. Vous m'avez gardé quelques pancakes ? »

Leaf se tourna et le dévisagea un long moment. Puis il abaissa le mégaphone et un rictus se dessina sur son visage.

« Jeremy ! cria-t-il. J'ignorais que vous étiez là. Quelle bonne surprise de vous voir. Nous sommes en plein entraînement. Dites, nous avons dû vous coller une sacrée trouille. Je pensais que le bâtiment était vide.

Cook indiqua sa Valiant, en évidence sur le parking.

– Vous pensez que je la gare là le week-end et que je rentre chez moi à pied ?

– Quelle tête de linotte je fais ! Non mais, quelle tête de linotte ! s'exclama Leaf, dont le sourire s'élargit davantage. Je me concentre tellement sur tous ces entraînements, pour être bien certain que ces jeunes mâles pleins de testostérone ne se dégomment pas les orteils, que je passe parfois à côté des évidences. »

Il se tourna vers ses troupes.

« Bien, messieurs, s'écria-t-il. À croupetons, marche en canard jusqu'à la rivière, où vous attendrez les ordres. »

Comme télécommandés, les policiers de Kinsey s'accroupirent et traversèrent le parking en se dandinant sur leurs talons, puis disparurent derrière le sommet de la colline. Leaf les observa d'un œil méprisant et alluma une cigarette. Puis il se tourna vers Cook et dit : « Je dois avouer, Jeremy, que j'ai apprécié votre intervention de ce matin bien plus que ce à quoi je m'attendais. Ni trop long ni trop court, *har, har har…* »

Cook l'entendit à peine. Les pensées se bousculaient dans sa tête. Jamais il n'aurait cru que Leaf aurait renoncé si facilement. Et pourtant cela se tenait. À partir du moment où Leaf avait constaté que son plan ne marcherait pas, il l'avait immédiatement laissé tomber. Ce qui frappa Cook c'est que, s'il avait été coupable, le stratagème aurait fonctionné. Il pouvait désormais prendre le dessus sur Leaf, mais il allait devoir être prudent. L'imposante et inflexible présence du flic pouvait être d'une redoutable efficacité.

« Lieutenant, pourriez-vous mobiliser ce genre de moyens si je vous désignais l'assassin de Stiph et de Philpot ?

Leaf fronça fortement les sourcils.

– Pas besoin d'un tel effectif pour coincer un de vos intellos à la noix. Je ne vous froisse pas en disant cela, j'en suis sûr.

– Je n'en ai pas besoin pour le coincer. Ce serait pour lui coller la frousse. Sa tentative de s'échapper fera office de confession.

– *Hé !* En voilà une idée de génie. Ça me plaît ! Mon gars, c'est une sacrée caboche que vous avez sur les épaules, même si elle n'est pas d'un blanc laiteux et toute ronde comme la mienne. Ça peut peut-être valoir le coup.

– Pourrait-on prévoir ça pour demain ? Ici, à Wabash.

– Bien sûr. Ces jeunes gens seront à nouveau en manœuvre dans la cambrousse, mais il me reste quelques vieux uniformes et je peux réquisitionner quelques gars du cru. Mais comment comptez-vous découvrir le coupable ?

– Je préfère ne pas le dire. Vous allez penser que j'ai perdu la boule.

– Faites-moi confiance. »

Cook éclata de rire, et Leaf l'imita. Cook se dit qu'il assistait là à l'un des rares moments d'humanité du lieutenant.

« Je vous le dirai après. Mais c'est du solide. Il s'agit d'un signal linguistique.

– Un quoi ? Oh. Ça. De toute façon je ne veux pas en entendre parler. Ces foutaises m'ennuient à mourir. »

Les deux hommes convinrent d'un rendez-vous le lendemain. Cook fut étonné que Leaf accepte de coopérer. Il semblait que, pour la première fois depuis la mort de Stiph, Cook n'était plus suspect, ou, du moins, autant que quelqu'un puisse cesser de l'être aux yeux de l'inspecteur. Moins suspect, disons. Si bien que Cook pouvait être entendu et pris au sérieux par Leaf. De plus, ce dernier était dans une impasse : il devait avoir épuisé ses dernières cartouches pour en être réduit à des tactiques comme celle qu'il venait d'employer. Mais, surtout, Leaf devait être reconnaissant à Cook d'avoir fait semblant de croire à son histoire d'entraînement des jeunes recrues. Pour ne pas gâcher cette harmonie entre eux, Cook n'insista pas pour que le flic lui dise pourquoi il avait demandé à s'entretenir avec lui après le petit-déjeuner « Prière et Pancakes » ou encore chez Paula. Deux belles tentatives. Coup sur coup. Sans compter l'appel de Paula. Tout ça avait sans doute pour but de faire monter la pression au maximum.

« Eh bien alors, on se verra demain, dit Leaf en prenant congé. Je devrais pouvoir apporter ma modeste contribution à votre plan. Le bon vieux coup du prélèvement d'ADN. Je serai là aux premières heures pour recueillir des échantillons sur chacun de vous. Nous en reparlerons à ce moment-là. »

Il se dirigea à pied vers la rivière. Cook le suivit du regard et l'entendit lancer à ses hommes : « Bon, bande d'abrutis. Retour au poste, on va casser la croûte. »

Une fois que les policiers se furent entassés dans leurs voitures et eurent quitté les lieux, Cook marcha jusqu'au pont de Darwin pour réfléchir. Puis il remonta dans son bureau et écouta une nouvelle fois l'enregistrement, afin d'être absolument sûr.

Une fois qu'il eut mis la bande sous clef, le téléphone sonna. C'était Paula, qui s'inquiétait pour lui. Il lui fit un bref compte rendu de sa rencontre avec Leaf et lui dit qu'il avait d'autres choses à lui expliquer, mais qu'ils en parleraient de vive voix. Elle avait des courses à faire pour le dîner, lui annonça-t-elle. Il regarda sa montre et fut étonné de voir qu'il était presque seize heures. Il n'avait pas pris de petit-déjeuner, n'avait pas déjeuné et n'avait dormi que trois ou quatre heures la nuit précédente. Il lui dit qu'il avait envie de piquer un roupillon. Elle ne fermerait pas la porte à clé, lui répondit-elle, si bien qu'il pourrait entrer quand il voudrait. Elle conclut en disant qu'elle avait très, très hâte de le revoir.

Le fait de parler avec Paula lui rappela ce qu'elle lui avait dit le matin même à propos de Woeps. Il décida de l'appeler.

« Ed, comment te sens-tu ? demanda-t-il.

– Pire. Mais ça ira bientôt mieux. J'espère.

– Peut-on se voir ? J'ai appris une ou deux choses, deux, en fait, qui font qu'il faut absolument qu'on parle.

– Oui. Je suis content que tu appelles, Jeremy. J'allais t'appeler plus tard, une fois mon esprit un peu moins embrumé. Mais manifestement cela ne va pas se produire de si tôt, alors pourquoi pas maintenant ? Veux-tu passer ? J'ai une ou deux explications à te fournir, et une proposition de paix à te soumettre. Peut-être même pourrons-nous siffler un godet, histoire de faire passer le mal de crâne…

– Non ! Pas ça ! Mais j'arrive tout de suite. »

Dès qu'il eut raccroché, le téléphone sonna de nouveau.

« J'exige une explication. »

C'était, bien évidemment, Wach.

« Vous faites référence à ma conférence, Walter ? », demanda Cook. Les nouvelles vont vite, songea-t-il.

« En effet. »

Cook soupira et décida que Wach n'aurait droit qu'à une demi-vérité.

« C'était de toute façon voué à l'échec, Walter. "Onomastique biblique" aurait peut-être marché, et encore, je n'en suis même pas sûr. Ce sont tous des intégristes.

– Je ne vois pas en quoi l'orientation religieuse du public vous autorisait à vous défiler, alors que je misais beaucoup sur cette intervention. Qu'est-ce qui vous est passé par la tête, nom d'une pipe ?

– Vous ne comprenez pas, Walter. Je les aurais ennuyés à mourir. La meilleure chose que j'aie jamais faite pour Wabash a été de *ne pas* donner cette conférence. En outre, il y a tout de même une petite chose dont j'aimerais discuter avec vous. Le titre que vous aviez choisi n'avait rien à voir avec ce que…

– Vous plaignez-vous de la manière dont j'exerce mes responsabilités ?

– Ma foi, en l'occurrence…

– Je fais mon travail comme bon me semble.

– Je n'en doute pas, mais…

– J'ai été élu par le personnel à ce poste, me semble-t-il, non ?

– C'est exact. Certes, personne d'autre n'en voulait, mais bon…

– Et je crois avoir rempli ma mission, non ?

– Bien sûr, je veux dire…

– Si vous avez des réserves quant à la façon dont se déroulent les choses, Jeremy, il serait peut-être mieux pour vous d'envisager d'autres options pour votre avenir.

– Je n'ai pas d'autres options, Walter, et j'adore mon travail ici.

– Ed pourrait rester ici, si vous partiez. Il a une famille et moins de flexibilité. C'est l'un de vos amis. Vous avez des responsabilités vis-à-vis de lui. Voyez-vous, Jeremy, j'ai le sentiment de pouvoir considérer les choses avec une plus grande impartialité que vous. J'estime que mon sens moral est plus pertinent que le vôtre. C'est mon avis.

– Cela relève de vos prérogatives, bien entendu.

– Ne soyez pas offensé. Dans ma position, je tâche de demeurer au-dessus des différends entre les personnes.

– Je n'en doute pas, Walter.

– Réfléchissez à votre poste. Nous en reparlerons demain. Entre-temps, je présenterai mes excuses à ces braves gens du Rotary Club. »

Il raccrocha.